$2-
7/21

LES CINQ SENS D'ÉROS

Gens à qui mon livre déplaît
Ce n'est pas pour vous qu'il est fait;
Pour Dieu, contentez-vous des vôtres,
Et, sans dire du mal du mien,
Soyez-en dégoûtés, fort bien !
Mais n'en dégoûtez pas les autres.

Frère Jean : *Du neuf et du vieux*

Les remerciements de l'auteur vont à
Paolo Parlavecchia et Fabio Ratti

Edition du Club France Loisirs, Paris,
avec l'autorisation des Editions Solar

Titre original de cet ouvrage :
EROS IN TUTTI SENSI

Traduction-adaptation française de Michel BEAUVAIS

Maquette de FG Confalonieri
Photocomposition : Optigraphic-France, Paris
Imprimé en Italie par Arnoldo Mondadori, Vérone

© 1988, Arnoldo Mondadori Editore S.p.A., Milan, pour l'édition originale
© 1988, Éditions SOLAR, Paris, pour la traduction-adaptation française

ISBN 2-7242-4048-0
Numéro d'éditeur 14211

Sommaire

Préface

Qui n'aime pas les feuilles
N'a rien à faire en mai.
Michel-Ange

Dans *Le Petit Héros*, une des plus belles des courtes histoires de Dostoïevski, un jeune garçon vient à passer ses vacances estivales dans une maison de campagne pleine de « grands », riches et indifférents à sa personne, tout occupés qu'ils sont à tisser, au-dessus de sa tête, les trames d'histoires d'amour compliquées, plus ou moins authentiques et plus ou moins légitimes. Le jeune garçon agira comme un chat circonspect, subissant les taquineries d'une belle dame insolente, s'amourachant d'une autre, qui lui inspirera les sentiments les plus fervents et les plus romantiques, mais qui finiront par être cruellement déçus.

C'est un récit charmant, curieusement peu connu, qui m'a toujours été cher pour le parallèle auquel j'ai bien souvent songé entre le petit héros qui fait le titre de l'histoire et le jeune garçon que j'étais moi-même au début des années 30. J'avais environ douze ans, à l'époque, et mon père m'avait envoyé, pour des raisons obscures, passer une quinzaine de jours de mes vacances d'été chez un de ses amis qui possédait, aux alentours de Turin, une grande et ancienne villa, une de celles que, dans le Piémont, on appelle « châteaux », suivant en cela l'exemple de la France toute proche.

Je crois que cette histoire paraîtrait tout à fait normale aujourd'hui, alors que les rapports entre les personnes se sont simplifiés et que les barrières entre les âges sont devenues bien moins rigides. C'était fort différent à l'époque, et ma présence me semblait bien singulière dans cette maison complètement étrangère, sans même un autre garçon de mon âge, parmi des adultes qui n'étaient pas disposés à m'accorder plus que la tendresse un peu distante qu'ils réservaient aussi à leurs chiens et à leurs chats.

Le maître de maison, pour sa part, se préoccupait uniquement de répartir les hôtes dans les très nombreuses pièces, selon une règle qui m'intriguait d'autant plus qu'elle me paraissait incompréhensible. Ainsi, pourquoi une de mes lointaines cousines, une belle jeune fille de vingt ans, avait-elle une chambre si éloignée de la mienne, alors qu'elle était la seule que je connusse au milieu de tant d'étrangers ? Je continuais d'ailleurs à me le demander, même lorsque j'avais fini par me réjouir de cette distance, qui me paraissait être la confirmation d'une indépendance que je goûtais pour la première fois. Mais cette question, comme beaucoup d'autres, demeurait sans réponse.

La villa, je l'ai dit, était immense; au gré des nécessités, on avait ajouté des aménagements plus ou moins heureux au bâtiment original, en plusieurs endroits, si bien que l'ensemble constituait alors un vrai labyrinthe. Un enchevêtrement d'escaliers, d'apparat ou dérobés, d'autres escaliers en colimaçon, de corridors, de loggias, de galeries, de passerelles conduisaient d'une chambre à l'autre. Des portes dérobées ouvraient sur des salles de bains somptueuses, sur des alcôves, alors que d'autres portes, encadrées de stuc, recouvertes de miroirs et surmontées de motifs mythologiques compliqués se révélaient au contraire fausses, ou au mieux n'ouvraient que sur des armoires.

Seul et laissé à moi-même, toujours plus heureux de ma liberté, j'errais longuement dans les méandres de cette architecture, notant en pensée chaque

La vue

Qu'on le veuille ou non, on est toujours de son temps. Je n'y échappe pas, et je dois dire que, dans mes premières impressions d'enfance, les contes et le cinéma sont indissociablement liés. En effet, un de mes premiers souvenirs, qui m'a profondément marqué, remonte à l'histoire de Cendrillon. À ce propos, on m'avait longuement parlé de choses merveilleuses comme la cour du roi, et de ce palais où se trouvait la plus belle des plus belles filles du royaume. Et, précisément, à peu près à la même époque, quelqu'un, pour me désennuyer d'un après-midi de pluie, m'avait donné à regarder un album de photographies. J'y avais découvert un fort beau soldat en cuirasse scintillante, coiffé d'un heaume surmonté d'un splendide panache de plume. J'avais été très fortement impressionné, mais je ne l'avais pas reconnu. Toutefois, on me dit que c'était mon père. Par la suite, sans doute très longtemps après, on me raconta toute une histoire à propos de cette photographie : lorsque Turin était le Hollywood italien, mon père, alors âgé de dix-huit ans, était passionnément amoureux d'une petite starlette et n'avait rien trouvé de mieux, pour l'impressionner, que de se faire engager comme « doublure ». C'est ainsi qu'il caracolait à cheval, à la place de Maciste, avec un habit rembourré comme celui d'un épouvantail à moineaux car, s'il avait la taille de l'athlète qui jouait le rôle, il n'en avait pas les épaules de débardeur; on le voyait aussi, toujours à cheval, parmi les jeunes officiers de l'armée. En cette qualité, il a dû subir une bien dure épreuve. Le scénario, assez audacieux pour l'époque, prévoyait une scène où un « monarque perfide », au milieu de son « fastueux palais », recevait en hommage, sur « une table somptueusement garnie », une « esclave provocante », en présence de ses soldats, évidemment impassibles. Inutile de dire que cette esclave, vêtue de ses seuls bijoux, était la starlette, et que le soldat le plus proche était mon père.

C'est lui-même qui m'a raconté cette histoire, un peu comme un conte. Telle qu'il me l'a dite, elle aurait pu me laisser la seule image du jeune officier dévoré de jalousie. Si, dès ce moment-là, elle m'a semblé présenter quelque chose d'un peu hardi, c'est uniquement à cause de toute une coloration bien particulière que moi je lui ai donnée. J'étais, je dois l'avouer, un charmant bambin assez curieux (tous les enfants le sont sans doute, mais tous ne s'en souviennent pas !); c'est donc par pure curiosité qu'il m'était arrivé, déjà, de soulever le drap d'une domestique qui me semblait spécialement intéressante. Aussi, à partir du récit de mon père, j'ai réussi à me monter, pour moi-même, tout un scénario bien personnel. Je me mettais en scène, dans le rôle de mon père, à la cour d'un roi; j'étais revêtu d'une cuirasse et j'assistais, avec une émotion que j'avais du mal à contenir, à la présentation non pas d'une, mais de toutes les plus belles femmes du royaume, et même du monde. Au bout de quelque temps, me semble-t-il, j'ai fini par me lasser de cette représentation personnelle, mais sans doute s'était-elle gravée profondément en moi, et restait-elle vivante dans ma mémoire — ou du moins dans mon inconscient. Toujours est-il que bien des années plus tard, quand il s'est agi de choisir une carrière, je me suis montré déterminé à embrasser l'état militaire, alors que rien de particulier ne semblait m'y destiner. Très précisément, j'avais l'idée fixe de devenir officier dans les cuirassiers. Il serait évidemment facile de construire une interprétation psychanalytique en évoquant l'identification au père et le souvenir-écran que représentait pour moi cette image. Toujours est-il qu'alors, j'aurais été bien en peine de dire pourquoi je faisais ce choix, si quelqu'un me l'avait demandé. Mais, précisément, il ne venait à aucun de mes proches l'idée de m'interroger sérieusement à ce propos. Ainsi, j'allais passer de longues années sous l'uniforme, soumis à la discipline militaire et au service de la patrie, sans que l'on sache exactement pourquoi. Et les choses se seraient sans doute passées de cette façon si ne s'en était mêlé un spécimen de ma famille particulièrement curieux; c'était un oncle qui à cette époque était déjà âgé, mais que pendant toutes nos jeunes années nous avions vu, nous autres, ses neveux, entouré d'une impressionnante série de « tantes » belles et séduisantes, qui se succédaient à un rythme fort rapide. Avec le temps, il était devenu un personnage très respecté dans la famille et, au moment d'entrer à l'Académie militaire, je ne pouvais faire autrement que de lui rendre une visite. Il m'accueillit fort bien, avec un intérêt non dissimulé, et m'étudia ouvertement, avec une virile sympathie.

— Et alors, finit-il par me demander, pourquoi précisément veux-tu entrer justement dans les cuirassiers ?

Sans que j'aie eu le temps de me contrôler, un déclic venu de très loin se fit en moi, et je m'entendis répondre :

— Pour vivre à la cour et pour voir les plus belles femmes du monde…

C'était la réponse d'un enfant, je m'en rendis compte immédiatement, tandis qu'en un éclair je saisissais les raisons profondes et lointaines qui m'avaient poussé à la faire; mais, sur le moment, je ne pouvais pas les invoquer, et la grosse bêtise était dite. Mon vieil oncle demeura serein, sourit, hocha la tête, et finit par déclarer :

— Voilà une très bonne raison. Tu ne peux pas en trouver une meilleure pour passer toute ta vie sous l'uniforme. Et pas n'importe quel uniforme, si je me rappelle bien. Tous les matins, il te faudra une heure pour le mettre, et autant le soir pour l'enlever. Mais si ce qui te décide, c'est le désir de voir de belles femmes, et même l'espérance de voir les plus belles femmes du monde, alors… rien à dire ! Tu vois, moi, parmi tous les plaisirs, c'est celui de voir qui a toujours été le plus important. Tellement important, d'ailleurs, que je me suis parfois demandé s'il ne s'agissait pas, de ma part, d'une invisible et incorrigible paresse. Et, cependant, chaque fois qu'il m'est arrivé de voir quelque chose de vraiment beau, un petit détail, ou même une femme tout entière dans tout son avantage, alors, je n'ai jamais manqué de faire de mon mieux pour… aller plus loin. Reste le fait que le plaisir des yeux est à mon avis ce qu'il y a de plus élevé, de la surprise de la première découverte d'un corps féminin à la contemplation, à mi-chemin entre l'observation passionnée et la béatitude. Ces malheureux, victimes d'un moralisme idiot, qui éteignent toujours la lumière avant de goûter leur part du paradis terrestre, m'ont toujours fait de la peine. Même aujourd'hui, tout vieux que je sois, alors que je suis bien obligé de me réjouir d'avoir atteint ce qu'on appelle la paix des sens, j'ai encore de bons yeux qui ne manquent pas de me procurer certains plaisirs, et non des moindres… Voir des belles femmes… tu l'as dit avec tant de spontanéité qu'à mon avis, tu mérites une récompense. Je ne veux pas anticiper, mais tu verras que je ne t'oublierai pas…

C'est ainsi que je suis entré en possession d'un héritage que les autres neveux de ce cher oncle auraient sans doute été bien embarrassés de recevoir. La collection de remarquables images du vieux libertin, dont quelques-unes

Série de photographies reproduites sur cartes postales; début du XXe siècle.

étaient effectivement assez embarrassantes (pas pour moi, bien entendu), n'étaient pas du genre à favoriser la mélancolie engendrée par ce qu'il appelait « la paix des sens »; elle a constitué la base de ma collection personnelle, en me donnant l'occasion et surtout le goût de l'enrichir, de pousser mes recherches dans ce domaine. Ce n'est évidemment pas le lieu, ici, de raconter comment, sous la pression des événements particulièrement importants pour l'histoire de l'Italie, j'ai renoncé à mes rêves de carrière de jeunesse et à des espérances qui, de toute façon, auraient été vouées à l'échec. Cependant, je voudrais revenir sur la photographie de mon père qui m'a donné la première intuition d'une forme particulière de mon érotisme, ou qui peut-être l'a fixée. Il s'agit pour moi d'être à la fois en position privilégiée, mais aussi désespérée (proche et jaloux, comme sur la photo), devant la femme que je désire, dévêtue, offerte à ma contemplation et à ma curiosité. « Regardez mais ne touchez pas ! » : cela a toujours été un impératif particulièrement frustrant et cruel, pour moi comme pour tout le monde, quel que soit, par ailleurs, l'objet ainsi concerné. Et pourtant… De cette contrainte même, de cet interdit, j'ai appris à tirer un plaisir qui, pour être « différent », n'en est pas moins intense. La jolie femme qui avait l'habitude de prendre des bains de soleil, plus que dévêtue, sur la terrasse de sa villa sur la Riviéra, ne pouvait pas savoir que je passais mon temps à l'épier; l'aurait-elle su, d'ailleurs, qu'elle ne s'en serait pas souciée le moins du monde, comme elle me l'a confié elle-même quand, bien des années après (et, donc, trop tard !), j'ai eu l'occasion de lui confesser mes coupables et enivrantes activités de jeunesse. J'avais mobilisé, pour mon usage exclusif, l'unique paire de jumelles de la famille et je me perchais debout sur un étroit rebord, au risque d'être découvert, et même de faire une chute de vingt mètres puisque j'étais sujet au vertige. Cependant, ces dangers me semblaient bien négligeables en regard des plaisirs et des délices qui me transportaient : elle était devant moi, toute nue, languissamment offerte au soleil d'été, blonde et dorée, sur une grande serviette bleue que je revois encore parfaitement; je restais là, à la contempler, et cela me suffisait. Pas une seule seconde, je n'ai pensé à tenter la folie de la rejoindre.

Je me rappelle aussi, avec bonheur, un autre épisode de ma carrière de « contemplateur ». Comme j'étais loin d'avoir l'âge de me poser le problème de collectionner les conquêtes, je m'acharnais à collectionner des images, mais il s'agissait à cette époque d'images vivantes. Je me berçais de la douce illusion que mes regards, pourtant perçants et insistants, passaient complètement inaperçus. On m'avait fait souvent la leçon dans ma tendre enfance : « Ne dévisage pas les gens. » Cela me semblait tout à fait sensé du point de vue de la bonne éducation, mais aussi parce que regarder franchement les femmes dans les yeux, c'était le meilleur moyen d'attirer leur attention sur moi. Ce précepte de conduite me paraissait donc un excellent principe conseillant de regarder autre chose que les visages; il m'autorisait donc, à mon avis, à couler mes regards dans les plis des vêtements, dans les coins d'ombre, à travers les étoffes transparentes. Et je ne m'en privais pas, à tel point que j'ai dû bien souvent paraître terriblement indiscret, et même franchement effronté ou tout simplement ingénu.

En tout cas, je n'ai sûrement pas été pris pour un ingénu par la jeune femme qui se tenait sur son balcon, dans une station du bord de mer où l'on m'avait envoyé en convalescence. Elle étendait son linge, juste devant ma fenêtre, et chantait comme si elle avait voulu m'attirer. Elle était brune, et peut-être pas tellement séduisante, mais je suis sûr que c'est à mon attention qu'elle étendait ainsi ses dessous et ses dentelles; moi, bien sûr, je regardais de tous mes yeux, et je constatais qu'elle-même, passant la tête entre une petite culotte et un soutien-gorge, me jetait aussi des regards, sans chercher à se dissimuler, comme pour me faire bien comprendre qu'elle savait que je la regardais. Sans doute d'ailleurs n'était-ce, de sa part, qu'un pur amusement : elle m'épiait ouvertement alors que je l'espionnais. Quoi qu'il en soit, je ressentis une émotion extraordinaire à jouer ce jeu, qui suffit alors à mon bonheur, et qui n'alla pas plus loin.

Je regardais avec avidité, et je fixais dans mon esprit chaque détail, comme si j'avais dû plus tard reproduire la scène dans un dessin. Par la suite, j'ai d'ailleurs eu maintes fois la tentation de fixer ces souvenirs brûlants sur le papier. Mais, plus encore, j'ai cherché à retrouver, dans les dessins des autres, les échos des images gravées dans ma mémoire, et de mes rêves intimes. Ma collection qui, comme je l'ai dit, est partie de l'héritage didactique de mon cher oncle, s'est ainsi régulièrement enrichie, en relation constante avec cette inlassable activité formatrice, avec la curiosité insatiable de mon regard.

Cette curiosité est somme toute une bonne chose puisqu'elle m'a été fort utile dans mes recherches de collectionneur. Elle est d'ailleurs tellement développée que je dois avouer qu'elle me surprend moi-même souvent, tant sont contournés et bizarres les pistes, les sentiers et les chemins sur lesquels elle m'a conduit, à la découverte d'une merveille hypothétique. C'est ainsi que tant que mes yeux me le permettront, je continuerai, avec soin et application, à mettre mes pas dans les pas d'Éros, à recueillir pieusement les images qu'il abandonne derrière lui comme des vestiges troublants de ses victoires, et je sais que ma curiosité est un aiguillon efficace pour accomplir cette œuvre. Elle est en effet toujours tendue, avec une étonnante constance, vers la découverte de rêve, vers la pièce inaccessible. Et, certes, j'ai réussi à dénicher tant de livres, de tableaux, de dessins, d'objets divers, que je devrais m'estimer satisfait, mais je ne serais pas un véritable collectionneur si je ne caressais pas une espérance absurde, un rêve fou pour lequel je suis prêt à tous les sacrifices : découvrir la merveille des merveilles, le chef-d'œuvre des chefs-d'œuvre, la véritable sainte Bible des libertins, je veux parler du catalogue, tenu jour après jour par Leporello, des conquêtes de Don Juan.

Ah ! le tenir entre mes mains, ou même simplement pouvoir y jeter un coup d'œil ! La merveilleuse légende, en effet, n'a-t-elle pas dû laisser au moins cette trace, cette simple relique, témoin des passions de tous ces cœurs, de tant de désirs de corps splendides, aimés et oubliés ? Je délire, je sais, mais comment ne pas en arriver là en entendant sans cesse cette question de mes clients qui veulent avoir la liste de ma collection :

— Puis-je avoir le catalogue ?

Depuis que Vénus a donné d'elle-même le beau et troublant spectacle de ses formes blanches émergeant de la blanche écume des vagues, d'un corps se révélant, les rapports entre la vue et l'amour n'ont cessé de se compliquer, de s'approfondir. Ces liens à la fois manifestes et cachés, nous essayons de les illustrer avec tout le zèle que mérite un sujet de cet intérêt.

Dans les choses de l'amour, puisque tel est leur nom, bien que certains se perdent dans des distinguos subtils — et stériles — qui cachent au bout du compte une bonne dose de la pudibonderie la plus vieillotte —, dans les choses de l'amour, donc, on ne se montre jamais assez précis, assez soucieux du détail, assez méticuleux. Comme dans une opérette fameuse où l'œil, non seulement joue un rôle mais se trouve même au rang de protagoniste essentiel, nous allons tenter d'aborder, d'exposer, les diverses situations érotiques, coquines ou charmantes, émouvantes ou brûlantes, où la vue se trouve directement impliquée.

Évoquons tout d'abord les innombrables occasions dans lesquelles une ou plusieurs personnes en épient une autre qui peut, soit le savoir et en être hautement satisfaite, soit l'ignorer et s'en fâcher ou s'en offusquer avec éclat si elle vient à l'apprendre. On peut évidemment garder pour soi les délicieuses scènes qu'on a pu surprendre, soit, après coup, en faire part à la personne concernée pour goûter avec elle le charme pimenté de la situation.

Comme dans un fascinant jeu de miroirs, et pour raffiner un peu les plaisirs, certains trouvent du piquant à voir une personne en train d'en épier une autre ou, plus corsé encore, à être épiés eux-mêmes en train d'espionner tout en feignant de ne pas le savoir, afin d'augmenter le plaisir de celui qui les regarde. Autre situation délicieuse, encore plus subtile : laisser entrevoir qu'on a découvert qu'on était espionné tout en faisant comme si on ne le savait pas, afin de goûter le plaisir d'être vu (tout le monde suit ?). C'est là une dialectique compliquée du voir et du montrer, qui est on le voit inépuisable. Jean-Jacques Rousseau, qui avait lui-même, dans sa jeunesse, sacrifié au plaisir sulfureux de dévoiler aux jeunes filles des choses qu'elles ne sauraient voir, note dans ses *Confessions* que les décolletés des femmes de son temps leur permettent de montrer leurs seins à leurs interlocuteurs quand elles le désirent : il suffit de creuser la poitrine et d'avancer les épaules; chacun le sait, bien sûr, hommes et femmes, et chacun fait mine de l'ignorer pour mieux goûter les charmes de ces spectacles intimes. Jean-Jacques lui-même fait mine de s'en offusquer, mais gageons qu'il n'a pas été le dernier à en bénéficier.

Mais il n'y a pas que le plaisir de regarder autrui, puisque l'on peut aussi s'abandonner au charme de la contemplation de son propre corps, selon le rite de Narcisse qui cherchait dans les plis des eaux son incertaine image pour finalement s'y noyer. Sans suivre au bord des fontaines son dangereux exemple, on pourra toutefois se contenter d'un miroir; on constate en tout cas que le doux Narcisse a beaucoup d'émules, et les peintres ont su saisir les regards satisfaits, troublés ou émoustillés que maintes femmes à leur toilette glissent vers leur psyché.

La contemplation de scènes, de corps réels, l'observation de situations vivantes ne sont d'ailleurs pas toujours nécessaires, et beaucoup préfèrent se réfugier dans le domaine de l'imaginaire où toutes les fantaisies sont permises. Ces images mentales portent en elles une force érotique souvent bien supérieure à celle que peut offrir la réalité; pour se créer des fantasmes, pour les développer et les faire vivre, certains n'ont qu'à fermer les yeux, alors que d'autres ont besoin d'images, de dessins, de peintures, de films. Il peut s'agir de représentations ouvertement suggestives, ou encore d'images allusives, symboliques, qui présentent pour beaucoup une grande valeur émotive, par exemple parce qu'elles évoquent des souvenirs ou éveillent des idées. Mais ce sont peut-être encore les textes, le simple langage, la narration, qui donnent naissance à la plus riche récolte d'images, en offrant toute licence à la fantaisie et au rêve.

C'est pour chacun une question de sensibilité personnelle. Nous ne parlerons pas de la liberté, puisque nous sommes précisément en train d'apprécier ses avantages.

Gravure colorée au pochoir, à partir d'une série de douze aquarelles publiées en France en 1917 sous le titre *Les Délassements d'Éros.*

Dans les images érotiques, surtout en France, le thème de l'auto-érotisme concerne presque uniquement le corps féminin. On y voit généralement des dames occupées à se divertir ou à se faire plaisir (ou les deux à la fois), dans la contemplation de leur propre sexe.

*Mais la touffe qui te fleurit à l'aine
N'est-elle pas comme l'aisselle de l'Aurore ?*
Gabriele D'Annunzio

Gravure d'A. von Bayros.

Le plaisir de regarder est doublé de celui
de se sentir regardé. Afin de rendre
l'atmosphère de la scène plus érotique, les
éléments décoratifs représentés sont des
allusions transparentes, ou même franchement érotiques eux aussi.

Page ci-contre : ces jeunes femmes font
partie d'une série de cartes postales publicitaires en trichromie; plus ou moins
audacieusement dévêtues, elles sont d'un
érotisme un peu naïf qui fait sourire
aujourd'hui, mais qui était alors particulièrement osé. Ces images étaient recher-
chées et collectionnées par les adolescents
comme par les adultes; tous s'empres-
saient de repasser les contours avec du
papier carbone pour obtenir, sans trop de
mal, la silhouette ô combien convoitée
d'une femme complètement nue.

*Juste sortie du bain, toute / Dégoulinante,
enveloppée dans sa chevelure / Sombre, en
frémissant elle imprime sur le sable / Sec, son
corps et la forme de ses membres. / Elle force
dans sa main le fruit vivant / Du sein, pressant
les deux pointes / Dures; ou elle se retourne et le
sable rêche / Souille sa peau d'étranges dessins.*
Gabriele D'Annunzio

Carte postale illustrée du début du
XXe siècle.

Ô jarretière noire à la boucle argentée,
Diadème lascif d'une jambe sculptée
Pour les étreintes du plaisir.
Maurice Rollinat

Carte postale perforée de la fin du
XIXe siècle.

Les deux trous correspondent aux genoux
et permettent de passer deux doigts pour
figurer les jambes de cette plantureuse
adepte de bains de pieds. Pour parfaire
l'illusion, le bord de la cuvette est en
relief, et dissimule le bout des doigts.
C'est là un des premiers exemples de
gadget érotique.

Carte postale reproduisant un tableau
d'A. Thévenot, *Baigneuse surprise*, exposé
à Paris, au Salon, à la fin du siècle
dernier.

Et toi, Glicéra, la crinière d'ébène
Jetée au vent, le sein gonflé
Haletant parmi la soie légère,
Tu fuyais sur la rive du lac.
G. D'Annunzio

Gravure française du XVIIIᵉ siècle.

L'intérêt érotique se trouve ici dans l'exposition de l'épilation du sexe. On trouve aussi, dans un genre très proche, des images de prostituées (et, plus récemment, de « collaboratrices » de la dernière guerre), tondues par punition. Une veine semblable est exploitée par ceux qui coupent les nattes des femmes, et par ceux qui placent au-dessus de tout le sexe encore glabre des adolescentes.

Ex-libris d'Italo Zetti, 1949; xylographie.

Il se trouvait placé juste derrière elle, et il avait pris la précaution de lui soulever un peu la robe afin de ne pas marcher dessus; il n'y avait rien là que de très normal, sans doute, mais, quelques instants après, ayant fait un mouvement dans leur direction, je m'aperçus que Tiretta poussait un peu loin ses précautions... Ne voulant pas déranger mon ami ni embarrasser la dame, je détournai la tête et me plaçai, sans dire mot, de manière que ma belle compagne ne pût rien voir; cela mit la bonne dame à son aise. J'entendis ces froissements sans interruption pendant deux heures.
Giacomo Casanova

Eau-forte italienne de la fin du XIXe siècle.

Quand il vient en levrette, avec un jeu mutin, / Au ventre s'adapter d'amoureuse manière / Et rien alors m'est plus gré pour le chevaucher / Que de voir, dans un cadre ondoyant de blancheur, / Le joyeux va-et-vient de l'énorme derrière.
E. des Essarts

Photographie de la fin du XIXe siècle.

Parmi les plaisirs liés à la vue, celui de la comparaison de leurs avantages respectifs entre plusieurs personnes vient en bonne place. Il faut sans doute voir là l'origine des nombreux concours de « Miss Seins » aux États-Unis, et de « Monsieur Phallus » à Paris. Mais c'est dans la mythologie que l'on trouve le premier exemple de ces joutes particulières; Pâris en fut l'unique membre du jury, et sa décision eut les conséquences désastreuses que l'on sait.

Trois aquarelles françaises de la période napoléonienne.

La belle enfant présentée ici, dans toute la splendeur d'une nudité rebondie (même son sexe est exposé grâce à une audacieuse épilation), montre ce qui lui reste d'une exquise pudeur en cachant son visage ! L'heureux officier fait lui aussi preuve de pudeur, mais à sa manière. En revanche, les deux grenadiers ont tout l'air de se soumettre à un examen attentif.

Lithographie en couleurs d'A. Fournier; 1824.

Au XIXe siècle, la veine scatologique ne manque pas d'humour. Toutefois, ses effets sont généralement assez gros, même quand elle passe par le biais des images à double sens ou des jeux de mots, ou encore lorsqu'elle utilise l'actualité politique, comme ici la consultation des listes électorales.

Esquisse originale d'une illustration du volume *Érotiques*, d'Adolfo Magrini.

Je n'aime pas la blonde, bouffie de graisse, mais j'aime la brune, mince et souple; quand vient le jour de la course, moi je préfère la fragile pouliche quand d'autres chevauchent l'éléphant.
Les Mille et une nuits

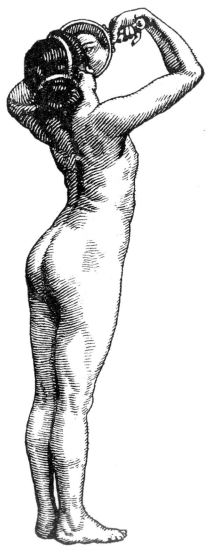

Aquarelle reproduite au pochoir pour le *Manuel de civilité pour les petites filles, à l'usage des maisons d'éducation*, de Pierre Louÿs.

Les thèmes anticléricaux sont toujours fréquents : dans cet exemple de masturbation double, le prêtre n'est pas montré à son avantage; au contraire, la jeune pénitente, toute à ses pieux exercices, est peinte avec beaucoup de fraîcheur, comme il se doit dans un ouvrage de Pierre Louÿs où le confessionnal représente toujours un terrain d'aventure pour les enthousiastes fillettes. Un des pré-

ceptes du *Manuel* leur conseille pourtant : « Ne vous branlez pas dans le confessionnel pour être absoute aussitôt après. »

Cartes postales; début du XXe siècle.

Ou je vise les nuées, ou je m'incline au sol, / C'est la fatalité d'un terrible destin ! / Avec une paire de jambes, jamais je ne fais un pas, / Et pourtant, bien souvent, j'avance ou je recule; / On me nourrit parfois de maigre, parfois de gras, / Sans me faire boire jamais ni le vin, ni même l'eau; / À tant manger pourtant, jamais je ne grossis, / Je reste maigre comme un triste clou; / Et cependant ce corps, tout émacié qu'il soit / Dégouline parfois d'une abondante graisse.
F. Lazzareli da Gubbio

Carte postale ; début du XXᵉ siècle.

L'érotisme à la campagne, ou la pastorale sous la ceinture. Dans cette carte illustrée du XIXᵉ siècle, la pauvre petite paysanne a perdu la houpette blanche de son poudrier. Heureusement, son brave cousin, content de rendre service, en a trouvé une autre : bizarrement, celle-là est toute noire !

— Cherche bien cousin, je viens de perdre ma houpette à poudre de riz
— J'en vois bien une, cousine, mais elle est noire.

Page précédente; cette devinette en images illustre de manière ironique les étapes du déclin des capacités d'un officier, qui suivent l'ordre inverse de sa carrière militaire; l'ensemble n'est pas sans exprimer un antimilitarisme plein de santé. Les vignettes, à double sens, font largement appel à la symbolique du sabre; elles illustrent un poème d'un auteur italien du XVIIᵉ siècle, Francesco Cicciarelli, qui porte le titre de *La Cicceide legitima*. Les images de ce type, à double sens, sont évidemment fort répandues, et les allusions sont plus ou moins claires.

Gravure française (vers 1930).

Autre œuvre à double sens, cette vignette du début du XXe siècle. La jambe de bois du vagabond excite la curiosité et l'imagination de sa gourmande voisine de banc.

Carte postale; début du XXᵉ siècle.

Ce concours de beauté est réduit à l'essentiel par la grâce du sens du raccourci d'un artiste qui n'aime guère les platitudes. À mi-chemin entre le sublime et le grotesque, il s'agit d'exalter la splendeur des postérieurs féminins (on sait que l'époque préférait les vénus callipyges). Pour faire d'une pierre deux coups, l'auteur a chargé la jeune femme faisant office de jury de présenter d'autres sphères, plus élevées dans l'ordre physique.

Nos fesses ne sont pas les leurs. Souvent j'ai vu / Des gens déboutonnés derrière quelque haie, / Et, dans ces bains sans gêne où l'enfance s'égaie, / J'observais le plan et l'effet de notre cul...
A. Rimbaud et P. Verlaine

CONCOURS DE BEAUTÉ

Vous pourrez troubler mon sommeil
Quand vous en aurez un pareil.

Cartes mobiles; vers 1930.

La technique et la mécanique (il est vrai à un stade encore un peu primitif) sont ici placées au service de l'érotisme : une petite languette permet d'actionner la partie mobile de la carte, et de communiquer ainsi le mouvement à ces deux auxiliaires bénévoles de la physique appliquée. Ces agréables petits jeux étaient souvent fabriqués par les pensionnaires des pénitenciers et par les orphelines des instituts de charité — mais en pièces détachées, de manière que ces ouvriers ne puissent pas identifier le produit de leur travail.

Sûre de baisers savoureux / Dans le coin des yeux, dans le creux / Des bras et sur le bout des mammes, / Sûre de l'agenouillement / Vers ce buisson ardent des femmes / Follement, fanatiquement !
Paul Verlaine

Gravure française du milieu du XIXᵉ siècle.

Le membre viril est ici en vedette (contrairement à l'habitude), comme dans certaines œuvres de l'Antiquité. Les regards et les réactions qui en résultent représentent toute la gamme — ou à peu près — des possibilités érotiques ouvertes par la situation. Ainsi, la belle impudique s'expose pour exciter l'homme, tout en feignant la pudeur en ne regardant pas l'objet qu'il présente, pendant que la rivale éventuelle se montre à la fois envieuse et gourmande. Le personnage à tête baissée s'avoue ouvertement « hors jeu ».

Photographie du début du XXᵉ siècle.

… tant découvertes qu'on les voit toutes ouvertes jusqu'au dessous de la poitrine, et découvre ainsi qu'à demy les gracieuses tétinettes tant tendrettes et satinettes…
E. d'Amerval

Les anciens animaux saillissaient même en course, / Avec des glands bardés de sang et d'excrément. / Nos pères étalaient leur membre fièrement / Par le pli de la gaine et le grain de la bourse…
Arthur Rimbaud

Lithographie en couleur, fin du
XIXe siècle.

Le jeune homme qui se procure à lui-même son propre plaisir est en position privilégiée, contrairement à ce que l'on pourrait croire. Il met en pratique le vieux proverbe « on n'est jamais si bien servi que par soi-même », et il est très satisfait de sa cachette, d'où il peut épier les amants.

Les seins.

Ce sont surtout deux seins, / Fruits d'amour arrondis par une main divine, / Qui, tous deux à la fois, vibrent sur ta poitrine, / Qu'on prend à pleines mains !
Alfred de Musset

Lithographie tirée des *Mémoires d'une chanteuse*; Paris, 1933.

Voir sans qu'elle sache qu'on la voit… un plaisir discret qui peut être encore plus vif si l'on soupçonne la belle de feindre le sommeil pour mieux se laisser voir — afin que la situation soit plus émoustillante pour les deux. Le geste du dévoilement est ici repris de maints tableaux classiques où le même thème est illustré : c'est l'éternelle histoire du voile levé, d'un geste précautionneux, par le satyre qui découvre la nymphe dans sa blanche nudité.

…astre du ventre, / Œil blanc dans le marbre sculpté, / Et que l'amour a mis au centre / Du sanctuaire où seul il entre / Comme un cachet de volupté !
Théophile Gautier

Dessin inédit d'A. Bonzagni. Encre de Chine sur papier. Signature inversée.

Aroldo Bonzagni est le peintre d'un Milan populaire et quelque peu louche, très proche du Paris des romans et des pièces de théâtre de la même époque. L'artiste se souvient probablement ici de son enfance vénitienne, quand il jouait « au docteur » avec ses petites amies. L'œuvre est intéressante par son trait rapide et vif; sa force érotique vient de la réunion des trois personnages : le docteur, à la fois professionnel et passablement excité, la dame,

tranquille et arrogante dans sa nudité, et le mari — ou l'amant — qui observe le déroulement de la « visite » de sous la couverture.

Seins mous.

Épaules de saindoux / Ou poitrine de gélatine, / Je vous veux, femmes aux seins mous.
Plouchart

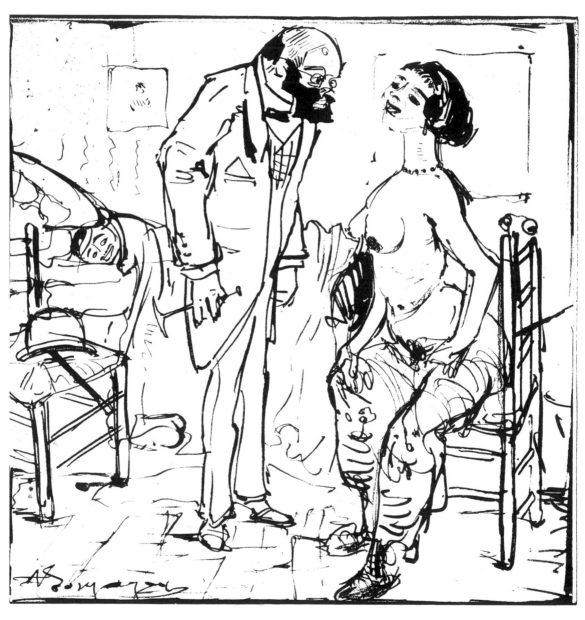

Cartes postales; début du XXe siècle.

Postérité d'Arcimboldo et des arcimboldistes ! L'Europe entière a été conquise par cette fantaisie visant à utiliser un assemblage d'objets divers (et allusifs) pour représenter un personnage plus ou moins célèbre ou des types humains, en les saisissant ainsi dans leur vérité la plus intime. Ainsi, Paul Jove, évêque au XVIe siècle et auteur d'une *Histoire de son temps* assez fantaisiste, a-t-il été représenté dans un portrait charge composé d'un enchevêtrement de phallus (mais c'était peut-être tout à sa gloire !). On découvre ici la théorie de Darwin appliquée à une tête de faune : des nudités entremêlées fort habilement modèlent les traits. D'autres cartes de la série, imprimée à Berlin, présentent des personnages de la mythologie érotique de l'époque en utilisant, de la même façon, des corps dénudés, plus ou moins alléchants.

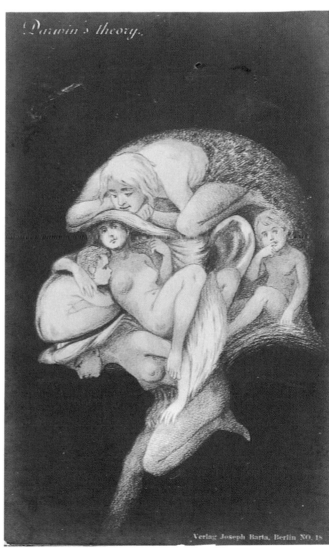

Cartes postales; début du XXe siècle.

Au début de ce siècle, il existait fort peu de différence — du point de vue du vêtement — entre les actrices célèbres, les courtisanes, et les jeunes filles sages qui devaient sacrifier à quelques nécessités vestimentaires pour séduire les éventuels partis. Les hommes de l'époque se laissaient affoler par ces corps à la fois voilés et dévoilés qui savaient jouer de toutes les ressources des résilles, des transparences et des bijoux à la manière des odalisques orientales.

Mais vous, chère commère, qui avez / Deux si beaux tétons, frais comme des roses, / Qui donnent un coup au cœur quand vous les montrez, / Pourquoi voulez-vous les dissimuler ? / Courage, écartez ces voiles, / Gardez-les pour les parties honteuses.
Giorgio Baffo

Lithographie en couleurs; début du
XXᵉ siècle.

*Enlève ces résilles, ô retardatrice, et n'en ceinds
pas / À dessein tes flancs quand tu viens à moi,
Lysidica : / Le péplum léger déjà ne te couvre
pas de ses plis, / Mais là tu transparais toute
comme si tu étais nue. / Et si cela te semble
beau, pour te donner la réplique, / Moi aussi,
quand elle sera dressée, je la voilerai de soie.*
Marco Argentario

Cartes postales; début du XXᵉ siècle.

Autre exemple de la manière d'Arcimboldo appliquée à l'érotisme : des corps nus enchevêtrés composent le profil du diable ! Au contraire, dans le dessein de masquer l'érotisme par l'alibi artistique, un nu charmant et piquant est présenté comme une idole antique à la manière d'un tanagra. Le modèle a revêtu un maillot parfaitement collant : les poils de l'aisselle et du pubis sont ainsi dissimulés et le corps prend l'aspect de l'albâtre, d'une façon très suggestive.

Aquarelle anonyme; début du XXᵉ siècle.

Les mains.

Mains complices de tous les actes, de tous les élans de l'âme ! / Mains qui sont comme des clés / Pour ouvrir tous les cœurs et toutes les serrures / Ô si subtiles mains, expertes aux luxures / Qui dosent le péché, qui graduent la langueur…
Georges Rodenbach

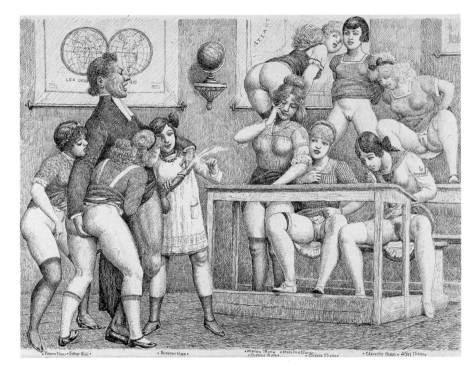

Dessin anonyme, à la plume; début du XXᵉ siècle.

Maîtres et esclaves. Il existe toute une littérature illustrant la tension érotique qui existe dans leurs rapports. Le maître (qui prend souvent, comme chez Sade, l'aspect de l'éducateur ou du maître d'école) a toute autorité pour voir et faire voir ce qu'il veut; l'esclave devrait pour sa part montrer une soumission totale. Cependant, il apparaît que la « victime » affiche souvent son pouvoir en retour et « double » pour ainsi dire le maître en affichant sa propre jouissance. C'est là une « version érotique » de la dialectique du maître et de l'esclave du peu érotique Hegel. Dans le dessin du bas, le plaisir des malfaiteurs est manifestement augmenté par la présence du mari de la jeune femme, obligé d'assister à la scène.

Voyant dressé celui de Cimone, Priape s'exclama : « Quoi, moi un immortel, je suis battu par un mortel ? »
Crinagora de Mytilène

Gravure en couleurs de R. Ackermann; 1800.

En Italie et en France, la gravure érotique explore différents registres, mais ne se cherche jamais d'alibi; si elle a recours au double sens ou à l'allusion, c'est uniquement pour corser le jeu. En Angleterre, dans les années fort agitées qui ont précédé le règne puritain et hypocrite de Victoria, on se sert presque toujours de l'humour pour faire passer le sujet. Ainsi, dans cette scène très martiale, la « demoiselle dans l'embarras » illustre-t-elle joliment un aspect de la servitude et de la grandeur militaire britanniques.

GRAND REVIEW OF THE WINDSOR CAMP.

Série d'oléographies utilisées pour des tabatières; début du XXe siècle.

Révolution industrielle et érotisme. Les miniatures, les gravures ou les ciselures sur les fonds secrets d'objets précieux étaient évidemment réservées, vu leur coût, à des classes assez aisées. Les moyens mécaniques de reproduction ont largement ouvert le champ de distribution. On ne s'est pas contenté d'illustrer pour les murs des estaminets ou des chaumières les aventures lamentables de Geneviève de Brabant ou celles des personnages des œuvres lyriques: sur beaucoup d'objets destinés au commun des mortels (tabatières, porte-cigarettes) sont apparues de nombreuses images, naïves et délirantes, d'un érotisme vigoureux, impatient de s'exposer et de se répandre.

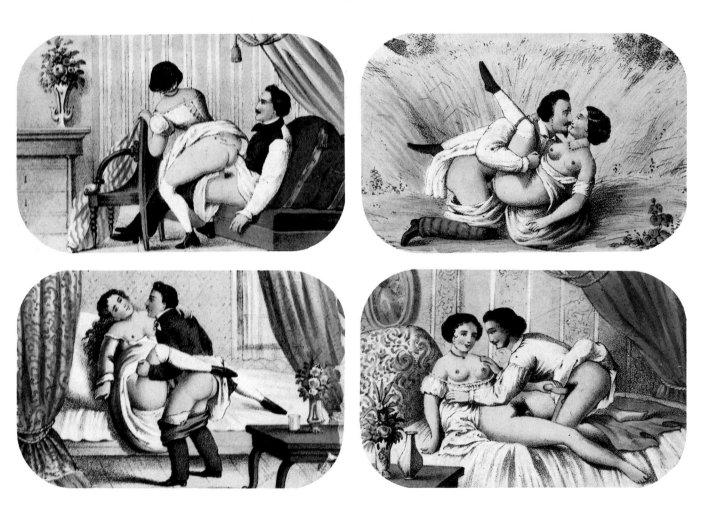

Érotisme populaire à rebondissement. On commence avec prudence en montrant une belle inconnue, de préférence exotique, puis on passe à l'exaltation de la reine. Un calendrier comme celui-ci, distribué chez les coiffeurs, s'ouvre pour révéler, à l'intérieur, la diva du moment dans une tenue provocante (dans les limites permises par la pudeur des années cinquante).

Manuscrit sur papier; Trieste, fin du XVIIIe siècle.

La lettre anonyme. C'est un instrument de vengeance, certes, mais aussi — et surtout — de plaisir solitaire. Celui qui l'écrit se délecte en imaginant des faits plus propres à exciter qu'à indigner. Celui qui la reçoit — si l'hypothèse ne paraît pas trop extravagante — se divertit également en suivant les aventures fortement salées dans lesquelles lui ou ses proches sont censés être impliqués (à condition toutefois qu'il soit sûr de la fidélité de sa légitime). Ici, l'aimable anonyme ne résiste pas au doux et innocent plaisir de faire précéder son texte d'un joli croquis représentant un phallus qui, à tout prendre, vaut bien une autre signature.

Aquarelle; fin du XIXe siècle.

Une rengaine populaire faisait rêver les enfants en les invitant à tourner les pages d'un livre imaginaire, plein de merveilles. Un jeu moins innocent (et à surprise) montre en deux images (il suffit de tourner la feuille) toute une histoire d'amour. À dénouement heureux !

Le nu féminin, contrefaçon de la vignette officielle, sur des boîtes d'allumettes du début du siècle.

Dessin à la sépia; vers 1600.

*Un vieil homme est comme une vieille horloge,
plus elle va avant, plus l'aiguille se raccourcit.*
Tabarin

Gravure colorée au pochoir; vers 1917.

Le thème des deux amies est un de ceux qui attirent le plus les poètes et les peintres; c'est le cas par exemple de Baudelaire (« Femmes damnées »), de Paul Verlaine, de Colette dans un de ses premiers romans, ou de Pierre Louÿs, dans toute son œuvre et notamment dans les Chansons de Bilitis. Ce goût pour l'intimité des femmes entre elles a également suscité de nombreux dessins pleins de charme et de piquant. Les deux jeunes filles sont croquées ici avec beaucoup de grâce et de vie; la main droite de la brune aide la tendre et fraîche blonde à mieux apprécier le charme et les finesses des dessins qu'elle contemple.

Figurine publicitaire; fin du XIXᵉ siècle.

La publicité, dès ses débuts, a senti tout l'intérêt de l'érotisme comme support de ses messages. Il s'agissait d'abord d'une prudente évocation, ou de simples allusions. Ainsi, le jeune homme est ici présenté dans une situation qui pourrait fort bien devenir scabreuse.

L'une avait quinze ans, l'autre en avait seize; / Toutes deux dormaient dans la même chambre; / C'était par un soir très lourd de septembre; / Frêles, des yeux bleus, des rougeurs de fraise.

Chacune a quitté, pour se mettre à l'aise, / Sa fine chemise au frais parfum d'ambre. / La plus jeune étend les bras, et se cambre. / Et sa sœur, les mains sur ses seins, la baise.
Paul Verlaine

Lithographie tirée des *Mémoires d'une chanteuse*; Paris, 1933.

L'amour est une affection / Qui, par les yeux, dans le cœur entre, / Et par forme de fluxion / S'écoule par le bas du ventre.
Mathurin Régnier

Aquarelles reproduites au pochoir, tirées du *Manuel de civilité pour les petites filles, à l'usage des maisons d'éducation*, de Pierre Louÿs.

Depuis le début du siècle, l'illustration des livres érotiques a connu une profonde évolution. Les peintres et les dessinateurs ne se contentent plus de suivre au plus près le texte pour en donner une version imagée, il s'abandonnent à leur inspiration pour faire œuvre de création. Les plus grands s'y sont essayés, comme Picasso ou Masson. Les textes de Pierre Louÿs offrent, dans ce domaine, bien des possi-bilités; son célèbre et précieux *Manuel de civilité* (toujours très lu, dit-on, dans les écoles) propose des préceptes qui gagnent, du strict point de vue pédagogique, à être illustrés : « Si un vieux satyre vous montre son membre au détour d'une allée, vous n'êtes nullement obligée de lui montrer votre petit con par échange de courtoisie. »

Dessin original de G. Garcia-Perez; encre
de Chine sur carton; début du XXᵉ siècle.

Aujourd'hui que le corps de l'homme est
presque aussi souvent montré, plus peut-
être, que celui de la femme, notamment
dans la publicité, il faut se rappeler
l'époque qui n'est pas si lointaine où l'on
hésitait même à présenter une femme de
face. C'est pourquoi l'on a cherché le
moyen d'exposer des nudités en faisant
appel à l'Antiquité et à la mythologie; il
est en effet difficile de reprocher cette
audace à un artiste alors que les plus
grands textes des Grecs et des Romains
évoquent leurs personnages dans cette
tenue d'innocence. On remarque d'ailleurs qu'il suffit, curieusement, pour que
la chose soit admise, que les héros aient
quelque chose d'antique dans la coiffure,
où qu'ils soient placés dans un décor
« mythologique ».

En haut : gravure française; vers 1930.
En bas : lithographie de Margit Gaal; vers
1930.

Deux coups d'œil, deux choix. En haut,
une Catherine de toutes les Russies pro-
cède au choix d'un nouvel amant en
allant directement à l'essentiel; c'est la
déformation d'un fait historique bien connu et souvent commenté. En bas, c'est
l'homme qui choisit, au moins en appa-
rence, car ce n'est pas certain. Margit
Gaal, dans un de ses « Rêves galants » les
plus suggestifs, laisse ouvertes toutes les
possibilités d'interprétation de la scène
qu'elle montre.

Par ma foy, ils sont plus de mille,
Tout nouveaux et jeunes.
Ancien théâtre français

C'est ce vit-là que je veux, et non pas un
trésor ! / C'est lui qui peut me rendre heureuse !
/ C'est un vit vraiment digne d'une
impératrice ! / Cette pierre précieuse vaut plus
qu'un puits d'or !
L'Arétin

Quand, par un interstice des planches, vous
apercevez dans la cabine voisine une dame qui
se croit seule et qui se branle, ne frappez pas à
la cloison en lui demandant « si ça va venir ».
Au lieu de l'encourager, vous la troubleriez.
Pierre Louÿs

Reproduction en fac-similé de silhouettes, tirées du recueil *Er und Sie*; Vienne, vers 1922.

La silhouette, découpée ou peinte, a connu une vogue extraordinaire aux XVIIIᵉ et XIXᵉ siècles, et il en reste quelque chose au début du XXᵉ. Ce sont généralement des silhouettes en noir sur blanc qui présentent des portraits ou des groupes, des scènes fantastiques ou quotidiennes, des intérieurs comme des paysages. Il ne

pouvait manquer, évidemment, d'y avoir une production de silhouettes érotiques, et — vu les lois du genre — elles sont souvent très parlantes. La silhouette procure un plaisir bien particulier car elle conserve une partie de son mystère, et nous met un peu dans la position d'un indiscret regardant par le trou d'une ser-rure. C'est un peu le même plaisir que l'on ressent avec les anamorphoses : il s'agit de ces dessins ou peintures qui sont indéchif-frables à l'œil nu, mais qui deviennent clairs et explicites lorsqu'on les regarde par l'intermédiaire d'un miroir déformant. Malheureusement, il existe très peu d'a-namorphoses érotiques.

Lithographie début du XIXe siècle.

L'imagination populaire a toujours fantasmé sur les rapports entre les personnes appartenant à des classes différentes, que les scènes se passent dans les châteaux ou les palais, ou dans les appartements de la grande bourgeoisie; à condition que la domesticité soit suffisamment nombreuse, c'est la situation des *Noces de Figaro* qui se répète à l'infini, et quel est le valet qui n'a

pas rêvé de se glisser, quel que soit son aspect physique, dans les vêtements parfumés de Chérubin ? Voir et voir beaucoup sans jamais toucher, c'est précisément le supplice de Tantale. Et encore, dans l'histoire du roi de Lydie aux enfers, l'eau ne prenait-elle pas un malin plaisir à se rendre plus désirable, comme cette jolie brune qui s'applique à prendre une position équivoque en laissant les regards lascifs pénétrer haut sous sa chemise !

Une volupté singulière s'attache aux bas.
Les siens sont si fins, diaphanes, un peu longs
pour les jambes souples, ils arrivent presque à
l'aine...
Elle bouge et la robe, ici et là, crisse en
s'entrouvant et son grand œil noir resplendit
parmi l'étoffe.
G. D'Annunzio

Supplizio di Tantalo

Carte postale; 1920.

Narcisse, victime de son propre reflet. La légende de Narcisse a quelque chose d'attirant et de trouble, et la psychanalyse a largement commenté le sujet. « Voici dans l'eau ma chair de lune et de rosée, / Ô forme obéissante à mes yeux opposée ! » dit le Narcisse de Paul Valéry (*Narcisse parle*). La jolie femme de cette carte postale des années 30, tout absorbée dans l'ovale de son miroir, semble fermée et aveugle à ce qui n'est pas son reflet, et figée dans une stérile contemplation. Mais on ne saurait nier qu'il y a précisément un plaisir, délicieusement complexe, à regarder une beauté s'absorber elle-même dans sa propre image.

Le Modèle du peintre amateur, gravure en couleurs; début du XXᵉ siècle.

Le peintre et son modèle, plus ou moins dénudé, entretiennent évidemment des rapports d'une intimité singulière, d'un érotisme particulier. Il ne s'agit pas seulement des modèles rétribués par les peintres à la mode pour se déshabiller. Les belles élégantes qui traversaient le Paris de Maupassant et de Proust, ou le Londres d'Arnold Bennett ou d'Henry James, pour se faire peindre en habits de gala, devaient savoir à quoi s'attendre en pénétrant, d'un pas décidé, dans les ateliers décorés de manière fantasque et « bohème ».

Ma petite compatriote, / M'est avis que veniez ce soir / Frapper à ma porte et me voir.
Paul Verlaine

Le modèle chez le peintre amateur

10 planches originales

Aquarelle française du XIXe siècle.

Une opinion assez répandue — et assez juste — veut que le XIXe siècle se termine en 1918 avec sa morale des bons sentiments et sa pudeur outrancière. Dans la représentation érotique, les peintres du XIXe se réfèrent explicitement au siècle précédent, libertin par excellence, ce qui leur permet d'exprimer leurs fantasmes; les personnages portent donc perruques poudrées et crinolines, et demeurent généralement plus ou moins décemment vêtus. Picasso pourtant peignait déjà ses Minotaures et ses Bacchantes, mais, dans l'alcôve de nos grands-mères, il y avait toujours un Casanova un peu suranné, parfumé et poudré, rendant comme à l'accoutumée ses services estimés.

Ouvre-lui bien les cuisses… / Qu'elles puissent être vues des femmes / Mieux vêtues que vous, mais non pas foutues.
L'Arétin

Lithographie en couleurs; 1904.

Surprise de la nuit parisienne. Dans l'*Almanach de la vie de Paris* de 1904, on ouvre une porte d'un salon particulier (peut-être chez Maxim's) pour découvrir qu'il est déjà occupé. L'attitude des nouveaux arrivants semble indiquer que cela leur importe peu et qu'ils vont entrer pour transformer le duo en partie carrée — sans doute pour toute la nuit. Le siècle est à peine commencé, la Grande Guerre est encore loin, la Belle Époque est à son zénith.

Lithographies tirées des *Mémoires d'une chanteuse*; Paris, 1933.

Deux illustrations modernes pour un classique de la littérature érotique : *Les Mémoires d'une chanteuse allemande*. Dans la première, la belle audacieuse participe à une orgie sous la protection d'un masque, accessoire obligé des scènes de ce genre dans certains milieux, lorsque les protagonistes veulent se défouler en toute liberté et sécurité. Dans la seconde, le visage découvert et l'expression extasiée de la femme, subissant avec enthousiasme et détermination les assauts des solides auxiliaires, constituent les stimulants indispensables à l'amant blasé, en haut de forme.

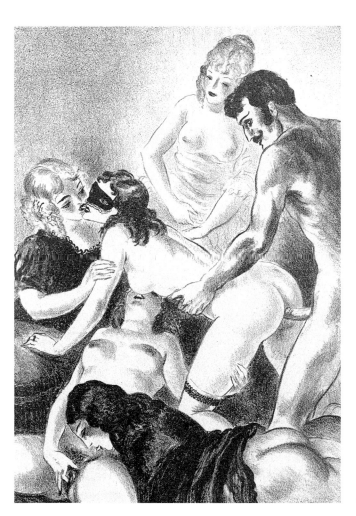

Gravure française; vers 1930.

— *Comment ! lui répondis-je, quelle différence y a-t-il donc ?*
Je lui fis cette question avec l'air de la plus innocente simplicité.
— *Tiens, vois, me dit-il en troussant sa* chemise *et me montrant son petit outil qui était devenu gros et raide, et que je n'avais qu'entrevu jusque-là. (…)*
Je recommençai mes caresses, je repris son instrument, je le baisai, je le suçai, je le mis tout entier dans ma bouche, je l'aurais avalé.
Mirabeau

Pour sucer.

Quand le monsieur est sur le point de jouir, ne vous interrompez pas pour lui demander des nouvelles de sa mère, même si vous avez oublié de le faire en son temps.
Pierre Louÿs

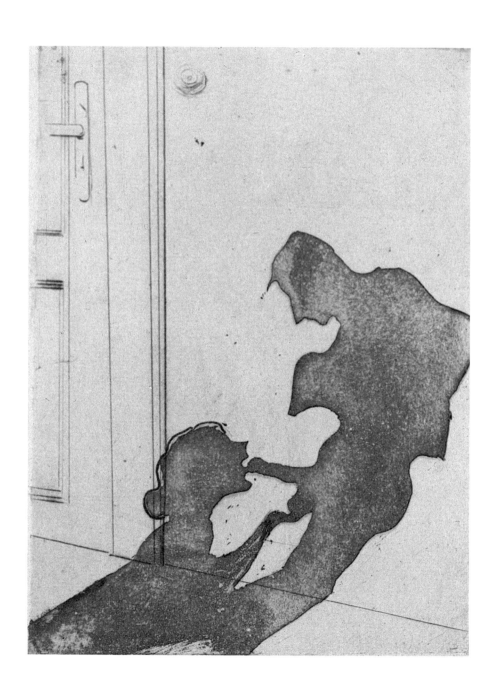

Gravure d'A. Willette; 1916.

Les méfaits psychologiques de l'envie…
La crainte de ne pas se sentir « à la
hauteur »… Mythe de la virilité qui se
mesurerait en centimètres… Willette, au
tout début du siècle, met en scène une
confrontation entre Pierrot et une statue
classique… pudiquement placée « hors
cadre ».

Gravure française en couleurs; fin du XIXᵉ siècle.

Le boudoir champêtre.

Je ne suis point douillet, je veux foutre, il suffit : / L'édredon, une chaise, une roche est mon lit. / Mais sur l'herbe en ce jour ma posture nouvelle / Me fait peu regretter le luxe du boudoir : / J'ai les fleurs pour parfums, ton beau cul pour miroir. / Quel aspect ravissant !… Que la nature est belle !

LE BOUDOIR CHAMPÊTRE.

Je ne suis point douillet, je veux foutre, il suffit :
L'édredon, une chaise, une roche est mon lit.
Mais sur l'herbe en ce jour ma posture nouvelle
Me fait peu regretter le luxe du boudoir :
J'ai les fleurs pour parfums, ton beau cul pour miroir.
Quel aspect ravissant !….. Que la nature est belle !…..

Paris.

Série de dessins au crayon, anonyme.

Cette série d'illustrations a été exécutée pour une édition de *Justine, ou les infortunes de la vertu*, de Sade, qui n'a jamais vu le jour. On y voit une bande de joyeux moines exhiber leurs attributs virils en l'hommage de la malheureuse victime… de sa propre vertu. L'humour — noir — de Sade consiste à avoir placé Juliette, campée sur l'idée fixe de la vertu sans vouloir en bouger d'un iota, dans un maelström d'aventures sexuelles en tout genre qui ruinent évidemment le fondement même de cette idée, en poussant l'aveuglement et la naïveté jusqu'à leurs dernières conséquences. L'artiste a ici parfaitement saisi cet humour, et Juliette, au plus fort de l'action, se voile le visage et ne veut rien voir.

Déferle ton entrecuisse / Que je contemple / Le saint temple / De Vénus / Et ton anus.
G. de La Louvelle

L'ouïe

À partir d'un certain âge, il nous semble généralement qu'à y bien regarder, nous n'avons fait, toute notre vie, qu'accumuler des regrets, en passant sans cesse d'un désir plus ou moins vif à un autre, intense ou vague, sans presque jamais parvenir à les satisfaire. L'unique consolation, qui vient avec une certaine sagesse, consiste à pouvoir se dire que, pour une bonne part d'entre eux, il est préférable que ces désirs n'aient pas trouvé d'aboutissement.

C'est du moins ainsi que cela se passe pour moi et je trouve, après coup, qu'il est heureux que certains de mes engouements n'aient pas eu de suite. De plus, une fois au moins, la destinée s'est en fin de compte montrée généreuse à mon égard en ne donnant pas satisfaction à un de mes désirs : aussi surprenant que cela soit, il m'est en effet arrivé d'avoir voulu être muet.

Sans vouloir chercher d'excuse à cette bizarrerie et à cette extravagance, je dois pourtant à la vérité de préciser que je n'étais alors qu'un jeune garçon, presque un enfant. Je ne suis en fait parvenu à ma maturité qu'en finissant par comprendre toute l'importance de la voix, d'une certaine voix, parmi les qualités qui font un homme.

Celle qui m'a conduit à cette découverte était une jeune fille, Dorina, âgée seulement d'un an de plus que moi. À cette période de la vie, cependant, un an est une durée énorme, d'autant que les filles mûrissent bien plus rapidement que les garçons. Dorina habitait la campagne, dans un petit village où je passais, enfant, la plus grande partie des vacances d'été. L'année précédente encore, elle ne se lassait pas de m'écouter lui raconter les films que j'avais pu voir dans les cinémas de ma grande ville; elle exigeait tous les détails de l'histoire d'amour du couple vedette, depuis le premier baiser jusqu'au gros-plan habituel sur l'inévitable baiser final. Cette année-là, cependant, je l'ai tout de suite trouvée changée. Moi, j'arrivais de la mer où j'avais passé quelques semaines; j'étais impeccablement bronzé mais hélas, dès que j'ouvrais la bouche tout était gâché : je muais !

— Qu'est-ce qui t'arrive ? ironisa-t-elle, tu t'entraînes pour chanter avec les chèvres, comme Natalino ?

Natalino, c'était le sacristain, un bon bougre dont la voix n'annonçait pas une virilité bien marquée.

— Ça va passer, ajouta-t-elle avec une condescendance qui me sembla odieuse. N'aie pas peur, ça va passer dès que tu seras devenu un homme...

Qu'est-ce qu'elle y connaissait, elle, aux hommes, tout à coup ? Je me posais la question avec rage et même, déjà, avec une pointe de désespoir. Rapidement, je devins la proie d'une terrible jalousie quand je crus avoir identifié son initiateur, en la personne de Corrado, le fils du médecin de la commune; s'il n'était pas vraiment un homme, il avait en tout cas l'aspect d'un vrai jeune homme, du moins par rapport à moi. Il ne se privait pas d'ailleurs de me le faire sentir en m'ignorant superbement. En revanche, il avait dû s'occuper activement de Dorina, en causant cette totale transformation — mais de quelle manière ? En était-il amoureux ? L'avait-il séduite ? Je tentais bien de me rassurer — sans succès — en me disant qu'il ne faisait aucun cas de la jeune fille qui soupirait pour lui; mais ce qu'il y avait de sûr, c'est qu'elle soupirait ! — tout comme moi je soupirais pour elle.

En tout cas, au milieu de mes vacances, j'étais toujours aussi inutilement bronzé, et parfaitement malheureux. À tel point que, comme je l'ai dit, je souhaitais tout bonnement devenir purement et simplement muet, puisque je n'étais pas encore en âge d'avoir la belle voix virile de mes rêves. Alors que je peinais sur ma vieille bicyclette, je voyais l'inaccessible Corrado, précédé d'un bruit de tonnerre et auréolé d'un nuage de poussière, parader sur une splendide mobylette. J'avais, de surcroît, la douleur de constater que Dorina lui adressait des signes au passage, que lui-même, impassible, semblait ne pas remarquer.

Illustrations tirées des *Chansons de Bilitis*, de Pierre Louÿs; Paris, 1898.

Pour ne rien arranger, Dorina continuait à sortir, le soir après dîner, pour bavarder avec moi sur le pas de la porte. Malheureusement, les films que j'avais vus pendant l'hiver ne l'intéressaient plus. Désormais, c'était elle qui me racontait un tas d'histoires confuses, ou qui me faisait des confidences — je devais jurer de ne les répéter à âme qui vive ! — à propos d'une de ses amies, et même, une fois, à propos d'elle-même.

— Mais où ? Mais quand ? — Je la pressais, sans même me soucier de lui montrer que j'étais jaloux. — Mais avec qui ? Je ne t'ai jamais vue avec personne !

Elle ne paraissait toutefois remarquer que mon incrédulité qui la piquait au vif. Elle en profitait pour me torturer encore davantage :

— L'autre soir encore, par exemple.

— Je ne te crois pas. Ce n'est pas vrai !

Furieux, je m'obstinais.

Il me semble que c'est dans ces conditions qu'elle décida de me punir. Elle me défia : si j'étais capable d'attendre le milieu de la nuit, je verrais ; « mais je crois que tu es encore un enfant, et tu vas sans doute t'endormir avant ». Je devais me poster au fond de son jardin, à l'endroit où la haie masquait le grillage d'enceinte, et j'aurais la confirmation de tout ce qu'elle m'avait raconté ; c'était là, à cette heure tardive, qu'elle voyait, seule à seul, son amoureux, et je pourrais bien voir si c'était vrai que lui... qu'elle... qu'eux deux..., qui n'étaient plus des gosses comme moi...

Je n'avais évidemment pas la permission de rester dehors après une certaine heure, mais j'acceptai le défi. Je décidai de ne manquer à aucun prix cet étrange rendez-vous. Et cela en valait la peine. En approchant de la grille, je ne pus éviter de trahir ma présence par le frôlement des branches et le bruit de mes pas. Aussitôt, de l'autre côté de la haie, s'élevèrent un long soupir et un gémissement, presque un râle, qui me firent sursauter. J'eus alors assez de lucidité pour me demander si, véritablement, Dorina était avec quelqu'un ; immédiatement après, elle se mit à parler sur un ton qui laissait supposer qu'elle nageait dans les délices ; elle vanta la beauté et la vaillance de son mystérieux compagnon, continua par une série de soupirs et de plaintes, puis par de petits rires étouffés et heureux, comme s'il lui apprenait un tendre jeu d'amoureux. Je l'entendis encore prononcer des paroles de louange, de remerciement et de gratitude, des paroles audacieuses, interrompues et reprises comme si quelqu'un, bien qu'il n'y eût que le silence, l'obligeait à les répéter en détachant les syllabes, dans une extraordinaire démonstration de soumission et d'exaltation.

Je m'étais agrippé à la grille, en pesant sur elle de tout mon poids, au risque d'être découvert ; j'avais été, d'abord, submergé par la jalousie et, aussitôt après, par une excitation que jamais encore je n'avais connue, une espèce de délire auquel je m'abandonnais tout entier. La voix de Dorina était celle que je connaissais bien, mais en même temps elle me semblait toute nouvelle, bouleversante et scandaleuse même à un point tel que j'avais du mal à la supporter, même si je souhaitais de toutes mes forces qu'elle ne se taise pas.

Parmi l'odeur amère des buis, dans la chaleur de la nuit d'été, le corps et la chemise trempés de sueur, je crois que j'ai goûté un plaisir comme j'en ai rarement connu par la suite. Quand finalement la voix s'est tue et qu'il m'a fallu me résigner à ne plus l'entendre, je me suis laissé glisser dans l'herbe, tout agité encore, exténué et épuisé, jusqu'à ce que l'apparition de la première clarté m'avertisse qu'il était temps pour moi de rentrer.

J'ai repensé des milliers de fois à cet épisode, en repassant dans ma mémoire les moindres détails, et je me suis évidemment posé la question : Dorina était-elle vraiment seule ? De son compagnon supposé, je n'avais pas entendu un seul mot ; pourtant, la vérité et la conviction du ton, les gémissements que j'avais entendus, les silences éloquents… Comment une toute jeune fille comme Dorina aurait-elle pu « interpréter » cela toute seule, et même simplement l'imaginer ? Et dans quel but ? Juste pour me punir de mon incrédulité ? Ou plutôt, mais inconsciemment, pour m'aider à faire le pas, unique mais déterminant, qui me permette de dépasser mon âge pour accéder au sien, afin que je puisse être, d'une certaine manière, l'amoureux et l'amant qu'elle appelait de ses vœux.

Chaque fois que j'y pense, je me sens submergé par les regrets : il ne s'est plus rien passé entre nous. Le lendemain, en effet, le temps se mit à la pluie et Dorina resta invisible pendant plusieurs jours; peut-être d'ailleurs était-ce chez elle une pudeur tardive qui la retenait. Lorsque nous nous revîmes, il y avait d'autres personnes et je dois admettre, aujourd'hui, que j'en fus presque soulagé. En effet, cette nuit-là, j'avais appris quelque chose, et même beaucoup, mais pas encore tout ce que Dorina avait espéré m'enseigner. J'avais appris, uniquement, que la voix a un pouvoir immense, qu'elle peut être le détonateur d'une explosion de tous les sens.

J'ai dit que, dès cette époque, j'étais passionné de cinéma. Il faut préciser que c'était à peu près la fin de la période du muet. Pour moi, les films représentaient donc des émotions purement visuelles, à travers une histoire souvent délirante ou inexistante; malgré les images tressautantes, interrompues par les panneaux noirs donnant des dialogues emphatiques, j'y découvrais des femmes fatales, propres à enflammer les rêves et l'imagination du jeune garçon que j'étais. Comment faire comprendre aujourd'hui toute l'émotion que j'ai pu ressentir (comme la plupart des gens sans doute) lorsque le cinéma est devenu parlant ? Les yeux, les joues creuses, les gestes et les jambes de Marlène Dietrich dans les films ensorcelants de Joseph von Sternberg, c'était déjà miraculeux; mais comment rendre l'effet de sa voix ?

Je suis faite pour l'amour, de la tête aux pieds…

Les plus acharnés des fanatiques de Marlène apprenaient par cœur les paroles de ses chansons, typiques de l'esprit berlinois, avec ce rien d'ironie qui apportait quelque chose de plus à l'érotisme : l'Ange bleu semblait chanter ou murmurer pour chacun en particulier, avec cette voix inimitable, rauque, presque douloureuse et ouvertement vulgaire, cette voix qui soufflait pourtant, chaque fois, des bouffées de désir.

Chacun trouve là où il le peut les excitants qui répondent à sa propre sexualité. Et, d'ailleurs, comment les chants des antiques sirènes avaient-ils un tel pouvoir sur tous les marins de passage ? Ils prenaient mille formes pour répondre aux désirs les plus secrets, et il est bien probable que certains navigateurs entendaient tout simplement des rengaines obscènes qui justement leur semblaient absolument irrésistibles. En tout état de cause ils y trouvaient une grande volupté… et la mort. Ils obéissaient à la même fascination, ceux qui, sur le Rhin, se laissaient prendre à la voix de la belle Lorelei. Autre voix, autre appel, même enchantement et même sort.

D'autres voix encore tissent ce lien de la volupté à la mort; elles nous parlent cette fois depuis la nuit des siècles, et ce sont celles de jeunes enfants qui entouraient le personnage atroce de Gilles de Retz. Ce terrible sire de Tiffauges qui a fourni à la tradition populaire et à l'imagination des poètes la figure de Barbe-Bleue, grand amateur de musique, sélectionnait de jeunes recrues pour la chorale de sa chapelle. Le monstre voulait que ses nuits fussent bercées de chœurs célestes; il trouvait dans ces chants un aliment à la mesure des exigences de son âme bizarre.

Plus tard, lors du procès qui devait le conduire au bûcher de Nantes, il a confessé que ses sens y puisaient un supplément d'émotion, que cette musique

constituait un aiguillon de plus à sa sensualité malade qui ne pouvait s'étancher
que dans le sang.

En des temps plus proches de nous, d'autres voix célestes ont bouleversé
l'Europe entière, durant tout le XVIIIᵉ siècle et jusqu'au seuil du XIXᵉ, comme
en témoigne Balzac dans « Sarrazine », une des histoires les plus facinantes et
les plus audacieuses de la *Comédie humaine*. Ces voix donnent, à ce siècle des
Lumières, libertin par définition, une résonance particulière, bien qu'elles se
soient fait entendre de la manière la plus licite, sur toutes les scènes des
théâtres du temps. Ils s'agit évidemment des « castrats » qui étaient recherchés
et bien sûr « produits », formés, choyés et idolâtrés d'une façon qui nous paraît
aujourd'hui totalement incompréhensible. Ils étaient tenus pour indispensables
dans toutes les cérémonies religieuses et dans les opéras lyriques où ils
apparaissaient évidemment en vêtements féminins; ils suscitaient des engouements et des passions qui confinaient au délire. Les princes se les disputaient
(Farinello a connu, par exemple, une grande vogue à l'austère cour d'Espagne),
tout comme les grands seigneurs et les artistes : le célèbre sculpteur italien
Canova, qui aimait les grâces un peu molles, n'a pas été indifférent à leurs
chairs pulpeuses. Une ville entière même était prête à défendre « son » castrat,
comme William Bedford a pu le constater à ses dépens lorsqu'il a cru pouvoir
accaparer pour lui seul l'idole de Lucques (en Italie). C'est probablement à leur
voix seule que ces malheureux individus devaient le véritable culte dont ils
étaient les objets. Leur physique, d'après ce que l'on peut constater, ne devait
pas être particulièrement attirant, même s'ils ont connu un franc succès auprès
de nombreux portraitistes; la mutilation dont ils étaient l'objet au sortir de
l'enfance produisait en fait certaines transformations du corps. Les caricatures
qu'en a fait Zanello montrent bien qu'ils étaient à peu près ce qu'en dit Parini,
qui les définissait tout net comme des « chanteurs éléphants ». Les sopranos
actuels ont gardé une « voix blanche » au-delà de leur adolescence sans perdre
pour autant des choses que les hommes, à tort ou à raison, considèrent comme
très précieuses, plus même peut-être que leur cœur ou leur cerveau; ces
chanteurs ont, aujourd'hui encore, un large public qui éprouve, à l'écoute de
certains madrigaux, un plaisir où l'érotisme a beaucoup à voir. C'est
évidemment un érotisme simplement suggéré, sous-jacent.

Mais abandonnons la musique et ses jouissances pour en revenir aux plaisirs
de l'ouïe que donnent simplement les mots, et l'écoute des voix et des bouches
qui les prononcent. Qui n'a pas rêvé de prendre discrètement la place du prêtre
dans le confessionnal pour écouter, dans l'obscurité, la femme qu'il aime
raconter ses secrets ? Non pas bien sûr dans le but sordide de surprendre une
trahison ou d'entendre l'énumération de ses péchés, mais plutôt pour avoir
l'immense délice de l'entendre parler de ses plaisirs, même sur un ton contrit,
surtout si l'on a été le complice de ces douces activités que la condamnation de
l'Église pimente d'une pointe de soufre.

J'ai observé, pour ce qui me concerne, un étrange phénomène qui (je l'ai
constaté par la suite) est commun à beaucoup. Il m'est arrivé de presque tout
oublier d'une femme aimée, son nom même, les circonstances de sa rencontre,
les épisodes de notre amour, ses yeux aussi et leur couleur, que je finis hélas par
confondre avec d'autres yeux amoureux, mais je conserve encore présents et
vifs à mes oreilles et à mon cœur le son de sa voix, la tonalité et la couleur
particulières de ses expressions. Ainsi, moi qui comme je l'ai dit ai souhaité de
toutes mes forces devenir muet, à l'aube de ma vie, je suis aujourd'hui habité
par les bruissements multiples et consolants de voix, de soupirs, de gémissements, de tendres chuchotements, qui apportent à ma mémoire les échos
toujours vivants de mes amours passées.

Bon nombre d'émotions érotiques sont évidemment générées par les voix et par la musique, mais également par d'autres sons, d'origine mécanique, par des rumeurs, qui peuvent éveiller en nous des échos ou des associations d'idées. Inutile de mentionner la vieille légende qui lie la pratique de la masturbation au tic-tac de l'horloge ! Mais, à l'époque moderne, le ronronnement d'un vibromasseur peut évidemment constituer un doux murmure pour certaines oreilles.

Les éléments eux-mêmes ont parfois une influence sur l'activité érotique, par leurs sons particuliers, ténus ou intenses. C'est par exemple le crépitement de la pluie, ou le battement sur la peau des premières grosses gouttes, ou encore les grondements menaçants de l'orage, qui suggèrent aux amants les bruissements de leurs amours, la cadence même de leurs étreintes (la littérature romantique est pleine d'allusions de ce genre). Et que dire de la mer, toujours recommencée même dans son rythme, qui semble n'avoir parfois été créée par Neptune que pour mieux accompagner les mouvements réguliers de deux corps enlacés ?

Il s'agit là de types de bruits qui sont finalement assez connus pour leur dimension érotique dans l'expérience humaine, mais il convient également de prendre en considération d'autres bruits moins souvent évoqués dans ce domaine, et qui tiennent à des expériences plus rares et à des sensibilités différentes.

Un certain nombre de gens trouvent excitants les cris des animaux, notamment le rugissement du lion, le hennissement du cheval et le bramement du cerf. Même le miaulement de la chatte en chaleur peut être considéré comme ayant une dimension érotique (bien que souvent il semble surtout exaspérant).

Une certaine perversion sexuelle trouve du plaisir à écouter les cris de douleur, les gémissements de terreur et les voix implorantes. Et certains, dans le même registre, trouvent du plaisir à entendre des invectives et des injures, surtout quand c'est à eux-mêmes qu'elles sont adressées.

Oreilles tendues, voix hautes, chuchotements... Ils sont nombreux ceux qui ont éprouvé un très vif plaisir dans les murmures du confessionnal.

C'est en tout cas aux premiers jours de la Création, quand les sens étaient encore neufs et presque vierges, qu'une voix, ô combien brûlante et séductrice, a pour la première fois touché l'oreille qui s'est oubliée à l'écouter : il s'agit bien entendu de l'histoire d'Ève et du Tentateur. Notre mère à tous était probablement tranquille dans son paradis terrestre, le nez en l'air, occupée à tout et à rien en écoutant les mélopées des anges et les gazouillements des oiseaux, les rugissements, alors amicaux, des lions, et d'autres bruits qu'elle n'avait pas encore identifiés. Mêlée au souffle du zéphyr, la proposition du démon — déjà génial à cette époque ! — lui vint aux tympans sous la forme de deux mots, deux mots seulement, mais qui ont fait mouche :

« Pourquoi pas ? »

Pourquoi pas ? C'est probablement ce qu'elle a répété quelques minutes après à Adam en lui tendant la pomme. Sans doute a-t-elle, d'ailleurs, fait mieux que Lucifer lui-même en prononçant ces paroles avec ce ton typiquement féminin, ce sourire en coin et cet air un peu canaille que nous connaissons bien. Comment, tout premier homme qu'il fût, aurait-il pu résister, le malheureux ? Dès lors, cette voix, tentatrice en diable, n'en a plus fini de se répercuter de siècle en siècle, et c'en était fait !

Une voix a sur nous cet étrange pouvoir de séduction parce qu'elle éveille des souvenirs particulièrement érotiques, où la parole, justement, douce et tendre, jouait un rôle majeur. Elle constitue en outre déjà un contact physique, profondément intime même, avec la bouche de la personne qui nous parle.

Ce sont des sensations du même type qui déferlent en foule à l'écoute de la musique : bribes d'airs anciens (pour qui l'on donnerait tout Rossini, tout Mozart et tout Weber !) qui remuent en nous des souvenirs délicieux, pleins de nostalgie, morceaux rythmés, chauds et prenants, qui donnent envie de bouger et de danser, et qui sont immédiatement liés au plaisir érotique que donnent la fête et la danse.

Gravure d'A. von Bayros.

La gravure pourrait fort bien être intitulée : *Les Instruments animés*, ou *La Méthode de la musique vivante*; le XVIIIe siècle est une époque d'audaces musicales, et le musicien fait appel à toute sa technique du doigté, main droite et main gauche, pour que son charmant violoncelle « chante » bien la mélodie; celui-ci reconnaît et apprécie la main d'un virtuose, et le lui rend bien !

Le Brigadier de l'Amour.

Le doigt médium, à cause de l'assistance qu'il prête aux amants dans les jeux libertins, puisque c'est avec lui qu'on branle une femme.
Alfred Delvau

Quand amour perd de sa flamme,
Ce doigt la réveille en vous;
Lorsque aussi près d'une dame
Le Dieu cueille un beau laurier,
Ce doigt est son brigadier.
Chanson anonyme

Ex-libris d'Italo Zetti, pour Émmerik Reumert; xylographie.

Elle n'est ni âme ni chair. Elle n'est ni fine ni stupide. Mais comme elle me plaît ! Du fruit, elle a le duvet léger : plus léger et plus expressif que les cils séducteurs. On la nomme Lachne quand elle est nue, et je n'ai jamais prononcé si lascivement le nom de Milo.
G. D'Annunzio

Gravure française du XVIIIᵉ siècle.

Le malicieux petit archer a envoyé une flèche « à vide » à la belle esseulée. Heureusement, comme le dit en ce même siècle (le XVIIIᵉ) le savant Lavoisier, « rien ne se perd »; l'ingénieuse enfant sait heureusement « faire résonner sa petite guitare cachée », et sa petite musique la console un peu de la solitude. Sans doute, d'ailleurs, a-t-elle été réveillée par une sérénade bien sentie qui lui a donné l'envie de jouer quelques gammes.

On n'est jamais si bien branlé que par soi-même.
Gérard de Nerval

Carte postale du début du XXᵉ siècle.

Tu m'aimeras toujours ?
Jusqu'à la mort !

Le maître de musique est un classique des personnages du roman érotique. Il lui revient d'initier les fraîches jeunes filles qui lui sont confiées, et pas seulement aux mystères du pentagramme. Son œuvre pédagogique, généralement servie par un physique avantageux, lui impose d'occu-per les mains de ses élèves zélées sur les touches ou sur les cordes — mais les siennes restent libres !

I was that silly thing that once was wrought
To practise this thin love;
I climbed from sex to soul, from soul to thought;
Headlong I rolled from thought to soul, and
                                          [then
From soul I lighted at the sex again.

(Je fus un jour cet idiot qui fut entraîné / A pratiquer cet amour débile ; / Je grimpais du sexe à l'âme, de l'âme à la pensée / La tête la première je roulais de la pensée à l'âme, et enfin / De l'âme, je retombais à nouveau au sexe.)

William Cartwright

UDITO – MI AMERAI SEMPRE ?
– FINO ALLA MORTE...

Illustration de Siméon pour *Les Confidences d'une aïeule*, d'Abel Hermant; 1927.

Dans les romans du début du siècle, les illustrations pour les ex-libris ont connu une très grande vogue. Il est facile de découvrir des représentations plus ou moins érotiques, et la musique, particulièrement évocatrice dans ce domaine, est souvent mise à contribution. C'est ainsi que la flûte d'un faune peut être une allusion transparente, ou que, de manière plus réaliste encore, un paysan amoureux lève son flûteau devant sa belle.

Bécot (donner un). Baiser la tête d'un vit comme on baise le bec d'une clarinette. Cette aimable action ne faisant aucun bruit, on peut aller longtemps : d'abord moderato, puis allegretto vivace… chaque pause vaut un soupir.
Alfred Delvau

Et quand je lui donne un bécot,
Comme il lève la tête,
Jacquot !
Alexandre Dalis

En bas : ex-libris d'Italo Zetti, pour Gino Sabatini; xylographie.

Il faut chanter un chant pastoral, invoquer Pan, dieu du vent d'été. Je garde le troupeau et Sélénis le sien, à l'ombre ronde d'un olivier qui tremble. Sélénis est couchée sur le pré. Elle se lève et court, ou cherche des cigales, ou cueille des fleurs avec des herbes, ou lave son visage dans l'eau fraîche du ruisseau.
Pierre Louÿs

Gravure coloriée au pochoir, vers 1917.

Le son de la mandoline, un peu aigre, un peu dissonant, a quelque chose de masculin. Chose curieuse et bien ignorée, il attire certains papillons. Mais, sous le manteau de l'ami Pierrot, une fameuse surprise attendait notre papillon. Heureusement, et très gentiment, le bel insecte si gourmand a butiné la fleur offerte.

Chat : nom que les femmes donnent à la divine cicatrice qu'elles ont au bas du ventre.
Alfred Delvau

Elle aime tous les rats
Et voudrait, la lesbienne,
Qu'à sa langue de chienne
Elles livrent leurs chats.
Joachim Duflot

Carte postale, 1940.

Un instrument, quel qu'il soit, aux mains
ou aux lèvres d'une jolie fille nue ou fort
dévêtue, est une allusion très claire à un
autre type d'activité. Il y a là un alibi en
quelque sorte « culturel ». Il faut cependant remarquer que ces images ne semblent vraiment pas provocantes, comme
si la nudité allait de soi avec la musique,
ou que la musique implique naturellement
la nudité. Nous sommes là dans le domaine des rapports secrets et intimes
entre la musique et l'érotisme.

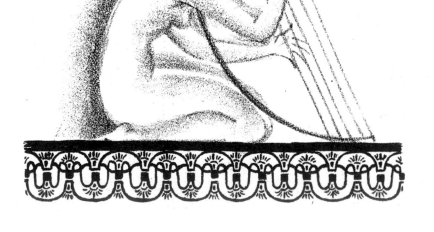

Lithographie en couleurs d'André Prévôt;
début du XXe siècle.

*Beaux seins dressés à la fleur si dure, / Où de
fatigue à l'aube ma tête vient tomber / Alors
que, dans l'épuisement suprême / Du plaisir, je
m'engourdis et meurs;*

*Reins félins sur les sillons desquels / Mes doigts
s'élèvent en rythme, / Comme sur les nerfs du
croissant de la lyre;*

*Dents dont la morsure facilement me soumet, /
Bouche plus sanguine encore qu'une blessure, /
Il m'est si doux pour vous de m'épuiser.*
G. D'Annunzio

Cartes postales, début du XXᵉ siècle.

*Il n'est femmes froides que pour les hommes qui
ne sont pas chauds et qui ne savent pas toucher
leur corde sensible.*
Léon Sermet

*Les yeux vifs de Xantippe, c'est un feu qui à
peine s'allume, / Et le son de son chant sur la
cithare tinte, / Ô mon âme, ils te brûleront !
Pourquoi, où, quand, comment ? Je ne sais; /
C'est en brûlant seulement, toute misérable,
que tu le sauras.*
Philodème

Reproduction oléographique d'une gravure française de la fin du XIXe siècle.

Dans les maisons de rendez-vous de luxe, on demandait aux pensionnaires une véritable éducation de jeunes filles de bonne famille; même toutes nues, elles devaient se mettre au piano, jouer et chanter, pour le plus grand plaisir des clients. De quoi s'agissait-il, sinon de les charmer, de les subjuguer, même les plus réticents, pour les entraîner au plus profond des chambres à coucher. Ainsi, le chant des antiques sirènes...

Oui, par Éros ! Je préfère de beaucoup écouter Éliodora, / Que même la cithare du fils de Latone.
Méléagre

Ex-libris tiré de la collection de musique de Mario De Filippis; xylographie.

Trichromie en couleurs d'une figurine publicitaire du début du XXᵉ siècle.

Quoi de plus troublant que d'écouter des bruits ambigus, d'amour peut-être, derrière une haie, ou derrière la porte close d'un appartement où la bourgeoisie du siècle dernier célébrait ses fastes dans l'intimité ? La tentation conduit souvent à ouvrir la porte ou à sauter la haie, mais beaucoup préfèrent rester derrière, à écouter de toutes leurs oreilles.

Gravure d'A. von Bayros.

L'image de la charmeuse de serpent qui, par son jeu de mains ou par sa flûte, fait se dresser le corps longiforme, est évocatrice entre toutes. Sur les places publiques où l'incantatrice faisait son numéro, il y a

fort à parier que de nombreux serpents s'érigeaient en même temps que l'acteur officiel. Le jeu des associations d'idées est aussi direct pour la démonstration d'une jeune flûtiste (surtout à la flûte à bec!), qui caresse l'instrument de ses doigts enveloppants et de ses lèvres arrondies. C'est une musique qui élève... l'âme.

Puisque j'essaie un si fabuleux vit
Qui me retourne le bord du con,
Je voudrais être tout entière con
Et que tu ne sois que vit.
L'Arétin

Carte postale; début du XXᵉ siècle.

Une fois encore, toute la puissance de la musique. La jeune fille de cette carte postale du début du siècle se vante de bien savoir tendre les cordes relâchées du fiancé. À une époque où l'on avait la rougeur facile, et où les interdits étaient multiples, le double sens, avec toute sa subtilité — ou parfois sa lourdeur —, était de rigueur.

Carte postale; début du XXᵉ siècle.

En bas : gravure coloriée à la main; anonyme, début du XXᵉ siècle.

C'était une jeune personne de quatorze ans, sage, modeste et pleine d'esprit. Je lui avais donné cinq ou six leçons et, comme elle aimait beaucoup la langue et qu'elle s'y appliquait sans relâche, elle commençait à parler. Voulant me faire un compliment en italien :
— Signore, me dit-elle, sono incantata di vi vedere in buona salute.
— Je vous remercie, mademoiselle, mais, pour traduire Je suis charmée, il faut dire ho piacere, et pour rendre de vous voir, il faut dire di vedervi.
— Je croyais, monsieur, qu'il fallait mettre le vi devant.
— Non, mademoiselle, nous le mettons derrière.
Voilà monsieur et madame qui se pâment de rire, la demoiselle confuse...
G. Casanova

Le mettre devant ou le mettre derrière est évidemment important, et la plaisanterie est depuis longtemps un classique des classes d'italien au lycée. Le jeu de mots semble ici un peu choquer Giacomo Casanova, qui raconte l'anecdote dans ses *Mémoires*. Elle se situe au moment où il arrive à Paris, sous Louix XV. De tels jeux de mots, qui ne se distinguent pas toujours par leur finesse, sont une constante de toute la littérature érotique, et des illustrations qui l'accompagnent; ainsi, la jolie fille évoque les cordes molles de la guitare, d'une manière transparente. De tels mots d'esprit sont évidemment propres à une langue, et sont pratiquement intraduisibles; il faut même posséder parfaitement une langue pour les saisir. On pourrait en dire autant de la contrepéterie. Les jeux de mots entre deux langues sont également assez répandus. Ainsi Pierre Louÿs conseille-t-il aux petites filles de prendre bien garde, dans la classe d'anglais, de ne pas traduire *Elle aime les langues* par *She likes to be tongued*, ni *J'ai un joli petit chat* par *I have a pretty little cunt*.

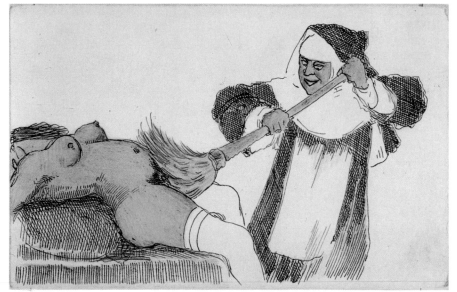

Gravure sur métal tirée d'une illustration de William Blake pour le *Paradis perdu*, de John Milton; fin du XIXe siècle.

La voix de la Vertu a toujours pris des accents inflexibles et terrifiants pour couvrir les chants insidieux des sirènes du Péché; celui-ci n'avait plus qu'à abandonner le Paradis pour descendre aux ténèbres des Abysses. Il reste que la sévérité de la voix cause bien souvent une vive jouissance (même inavouée) à beaucoup de personnes, quand ce ne sont pas les coups ou les punitions corporelles.

À un autre de ses amants, Rachel imposa la condition de lui répéter dans les moments décisifs : Je suis Jésus-Christ ! Et chaque fois que ces mots sacrilèges frappaient son oreille, Rachel tombait dans un paroxysme de jouissance impossible à décrire.
H. de Viel-Castel

Carte postale représentant un tableau; début du XXᵉ siècle.

Les voix des sirènes, qui jamais ne cessent, exercent un envoûtement invincible sur celui dont elles touchent l'oreille. Les compagnons d'Ulysse en ont su quelque chose; innombrables sont ceux qui les ont suivis sur le chemin de cette délicieuse perdition, en particulier en poussant la porte des théâtres et des cinémas pour entendre les voix des castrats (au XVIIIᵉ), celles des reines du cancan parisien, ou encore celle de Marlène Dietrich, si rauque, si prenante. Aujourd'hui, les sirènes font des clips télévisés; habillées de cuir ou de soie transparente, elles susurrent des textes à double sens, d'une voix terriblement ambiguë, sur des textes entrecoupés de soupirs et de gémissements particulièrement éprouvants pour les âmes sensibles.

Chant des sirènes.

Cartes postales italiennes; début du XXᵉ siècle.

Né dans les bouges argentins, le tango a longtemps fait scandale en Europe. Immédiatement, il a représenté l'érotisme débridé, la sauvagerie sexuelle, et s'est répandu comme une épidémie; il est mort et ressuscité plusieurs fois, avant de connaître la gloire littéraire avec Borges. Le caractère érotique est encore souligné par la caricature (où l'on remarque le symbolisme du nez, déjà cher à Rabelais).

... tous les deux emmêlés l'un à l'autre s'envolaient, apparaissant et disparaissant, naufragés d'une mer de plaisir : ils n'entendaient, ne voyaient plus rien ni personne; la bouche soufflait sur la bouche son souffle haletant, le bras étreignait le bras, les doigts s'enchevêtraient aux doigts, les cheveux noirs s'entremêlaient aux cheveux roux, le sein écrasait le sein palpitant.

Francesco Domenico Guerrazzi

IL TANGO

Molti, a dir la verità,
Dánno al Tango la gran colpa,
Che la donna, se ce n'ha,
Può mostrar parecchia.... polpa!....

IL TANGO

Certo è un ballo figurato
Che inebriare fa le teste
Specie quando, ben ballato,
Sollevare fa la veste!

... et si ce divertissement s'effectue en compagnie d'une personne de l'autre sexe, si en plus elle est jeune et belle, le petit plaisir du mouvement s'accompagne du doux émoi d'une innocente étreinte, et les plus légers attouchements sont source d'une infinie volupté. Enfin, la présence de la musique fait l'effet du soleil qui réveille la vie de la nature en apparaissant sur l'horizon. Alors, tous les plaisirs se confondent et s'unissent en une totale harmonie. Les tournoiements rapides, les langoureux abandons, les gracieux remerciements et les élégantes cajoleries de différentes figures sont agrémentés par les halètements des seins qui se confondent dans les chaudes haleines, par les œillades furtives, les soupirs profonds, les étreintes des mains, les pressions insistantes des hanches. C'est alors que l'homme, transporté de joie en sentant frémir dans ses bras une créature vivante qui suit ses souples mouvements selon le rythme prenant et harmonieux, éprouve une des plus grandes jouissances de sa vie. Et c'est alors que la femme, dans la surexcitation de son exquise sensibilité, se sent entraînée dans les tourbillons et soulevée par un bras qui la presse sur une poitrine où s'écrase son sein palpitant, et elle voudrait être serrée plus étroitement encore, étreinte à en mourir.

Paolo Mantegazza

IL TANGO 4

Tutti i membri in movimento
Mette e bocca e naso ed occhi,
E dà un gran contorcimento
Al di sopra dei ginocchi....

IL TANGO 6

Ma però dà un gran calore,
E le coppie affaticate,
In breve ora di.... sudore
Si ritrovano bagnate!

Frontispice d'un glossaire du XIXᵉ siècle concernant le vocabulaire amoureux, et ouvrage italien récent sur les « vilains mots ».

Les mots érotiques et obscènes ont toujours représenté des difficultés pour les lecteurs étrangers qui ne connaissent pas le « fond » de la langue. Ils constituent en outre un domaine privilégié pour étudier — et goûter — la vie du langage populaire, en mutation constante.

Ne croyez pas trouver la propreté / Du divertissement à la Pétrarque / Qui toujours brode fleurs et violettes : / Moi je dis pain pour pain, et vit pour vit.
L'Arétin

Oui, bien que ce que je trouve dans Cicéron, / Au premier des Offices, soit très sain, / À savoir qu'en le nommant dans un sermon, / Il est poli de dire anus et non pas cul, / Je dirai (fidèle à la haute doctrine stoïcienne) / Toujours cul, et jamais anus, pour Caroline.
Anonyme

Vocabula Amatoria:

A FRENCH-ENGLISH GLOSSARY

OF

WORDS, PHRASES, AND ALLUSIONS

OCCURRING IN THE WORKS OF

RABELAIS, VOLTAIRE, MOLIÈRE, ROUSSEAU. BÉRANGER, ZOLA, and others,

WITH ENGLISH EQUIVALENTS AND SYNONYMS.

LONDON
PRIVATELY PRINTED FOR SUBSCRIBERS ONLY
MDCCCXCVI

Nora Galli de' Paratesi
LE BRUTTE PAROLE
Semantica dell'eufemismo
Uno studio sulla "censura" del linguaggio. L'interdizione verbale operata dall'inconscio, dal pregiudizio, dal pudore e dalla convenienza. Le parole "proibite" nell'italiano, nei dialetti, nei gerghi.
OSCAR MONDADORI

Gravure anonyme, à la pointe sèche; début du XXe siècle.

On savait qu'il fallait leur mettre du sel sur la queue pour attraper les oiseaux, et voilà qu'on apprend qu'on peut se mettre un oiseau sur la queue pour attraper les filles. L'oiseau a toujours été un symbole évident, que ce soit de cette manière truculente et campagnarde, ou un peu plus finement, par exemple dans le tableau célèbre d'Ingres : *L'Oiseau envolé* (référence au pucelage).

Elle le prit dans sa main blanche,
Et puis dans sa cage le mit.
Jean-François Regnard

Cartes postales; fin du XIXe siècle.

Dans cette historiette illustrée, le téléphone, qui à l'époque était encore une invention relativement nouvelle, joue le rôle d'entremetteur; l'ensemble pourrait être dramatique, mais la figure du vieux mari à lorgnons déclenche plutôt le rire chez les habitués du théâtre de Feydeau et de Labiche. Le téléphone est appelé à jouer un grand rôle dans l'érotisme du XXe siècle. Les choses pouvaient être corsées par la présence auditive de la demoiselle des PTT. Pierre Louÿs avait saisi toutes les possibilités du genre; il fait dialoguer deux jeunes filles en ces termes :
« — Oui, oui ! faisons-le par téléphone ! Oh ! quelle bonne idée. — Ce n'est pas possible... j'ai trop envie... si tu voyais mes poils... je suis inondée... Ne coupez pas, mademoiselle, branlez-vous aussi si vous voulez, mais ne coupez pas... »

IL DRAMMA TELEFONICO   A.S.M. 554

III. Dramma Telefonico

A.S.M.554

Lithographies en couleurs d'André Prévôt.

Ô belle musicienne, j'aimerais sur toi, comme toi sur ta cithare, / Pincer la corde en haut et la freiner au milieu.
Anonyme italien

Je voudrais bien, belle brunette,
Voyant votre sein rondelet,
Jouer dessus de l'épinette
Et au-dessous du flageolet.
Théophile de Viaux

Les instruments diffèrent, mais les deux poètes se retrouvent dans le même désir : exercer leur doigté en haut comme en bas.

Lithographie de Margit Gaal; 1921.

Illustration tirée des *Œuvres libres* de Paul Verlaine; Bruxelles, 1948.

Après la Première Guerre mondiale, le tango qui arrivait d'Argentine avec toute une mode exotique a relégué le french-cancan à une danse stéréotypée pour troupes de girls, alors qu'il avait pendant longtemps représenté la danse érotique par excellence pour toutes les grandes salles de bals parisiennes du XIXᵉ siècle. Les dessinateurs d'œuvres érotiques n'en continuent pas moins à s'en servir, d'une manière fort dépouillée.

Est-ce vous, ô filles perdues,
Qui n'aimez que le plaisir
Et qui, dans les bals de banlieue,
Sanglotez et frémissez ?…

Tout, parmi ce bastringue louche,
Vous invite et vous sourit…
Mêlez la valse qui chaloupe
Et l'ordure au paradis.
Francis Carco

Esquisse originale d'Adolfo Magrini pour le volume *Erotiques*; Milan, 1921.

L'épaule, l'aisselle, l'attache du bras au buste, l'inflexion souple du dos, de la nuque au sacrum, la ligne du menton et de la mâchoire sur le cou qui me rend vivant, ineffablement, le latin teres; et les petites mamelles divergentes, le sillon externe de la jambe, pareil à une strie dorique, fugitive, et le pied lacé qui m'apparaît toujours comme ces fleurs de magnolia à peine cueillies que les fleuristes entourent d'un brin d'osier pour qu'elles ne s'ouvrent pas. Ce sont là les prodigieux caprices du génie bizarre, préposé à habiller les squelettes; mais qui a assorti une telle voix à une telle poitrine? Certaines notes basses qu'elle a semblent faire de ses côtes les nervures d'une nef de basilique, qui résonne parfois si fort qu'elle remplit toute l'architecture humaine. Sa voix sembla aérer tout son corps, et retentir en descendant sous la

peau, jusqu'au pied qui s'arque comme pour l'esquisse d'une danse.
G. D'Annunzio

Vignette tirée de *La Vie parisienne*; années 20.

Cartes postales; début du XXᵉ siècle.

C'est pour l'Aphrodite que j'adore dans ma poitrine, car elle seule me donnera ce qui manque à mes lèvres, si je suspends à l'arbre sacré la guirlande de tendres roses. Mais je ne dirai pas tout haut ce que je la supplie de m'accorder. Je me hausserai sur la pointe des pieds et par la fente de l'écorce je lui confierai mon secret.
Pierre Louÿs

Vignette tirée de *La Vie parisienne;*
années 20.

LE MALENTENDU

LA CUISINIÈRE ÉMOUSTILLÉE :
— *Une... deux... une... deux... une... deux. Plus vite... une... deux... u...ne... d...eux... u...ne... deux. Eh bien !... Ah ! Ah !.*

La musique et le bal ont en eux une magie qui appelle d'autres plaisirs; ils permettent de délivrer des messages à double sens, des sous-entendus ironiques ou troublants. Le librettiste de Mozart, Lorenzo Da Ponte, l'avait bien compris quand il écrivit les dialogues des *Noces de Figaro* :

Se vuol ballare,
Signor Contino,
Il chitarrino
Le suonero…

Le fat en habit à queue propose sa marchandise sous la forme d'un rébus, mais il se vante probablement.

Carte postale avec rébus musical; début du XXe siècle.

Quale preferite?

Carte postale avec rébus musical; fin du
XIXe siècle.

Le piano que baise une main frêle
Luit dans le soir rose et gris vaguement,
Tandis qu'avec un très léger bruit d'aile
Un air bien vieux, bien faible et bien charmant
Rôde discret, apeuré quasiment,
Par le boudoir longtemps parfumé d'elle.
Paul Verlaine

Cartes postales; années 30.

Il est fort improbable que les quatre demoiselles de cette série de cartes postales largement diffusées dans les années 30 jouent, sur les instruments typiques de leur pays d'origine, leur hymne national respectif. Elles ont en tout cas fière allure avec leurs beaux (mais simples) costumes et leur manière inédite de pousser la note. Comme le disait le refrain d'une chanson populaire : « Ça c'est d'la musique ! »
Dans les années troubles et agitées qui précédèrent la Seconde Guerre mondiale, elles ont en tout cas permis de détendre un peu l'atmosphère.

C'est un doux chant que tu chantes, par Pan l'Arcadien ! sur la lyre, / Zénophyle, et de ton plectre, tu rythmes une douce musique. / Où te fuir ? Partout me poursuivent les petits / Amours, sans même me laisser respirer. / C'est la silhouette qui me pince de désir, ou c'est ton chant, / Ou c'est ta grâce, ou c'est... tout ! Je brûle d'un feu ardent.
Méléagre

Elle gisait sous la clarté de la lune, / Montrant, hors de sa tunique défaite, / Son sein blanc. La danse avait découvert / Son côté gauche; et, nue, / Elle offrait un tableau saisissant aux yeux de l'éther, / Et le corps blanc se détachait sur l'ombre noire.
Chérémon

Carte postale représentant Franz Liszt; début du XXᵉ siècle.
Grand compositeur, exceptionnel musicien, l'abbé Franz Liszt jouissait également d'une réputation bien méritée de séducteur international, comme le prouve ce portrait à la manière d'Arcimboldo.

On peut s'interroger sur ce qui les attirait toutes comme ça. Des capacités hors du commun dans l'alcôve ? Sa beauté physique si particulière ? Les suggestions contenues dans sa musique, romantique et forte ? Ses dons remarquables de pianiste ? Le mystère demeure.

Carte postale; fin du XIXe siècle.

L'apparition des premiers phonographes à rouleau fait entrer la musique dans les salons de la petite bourgeoisie. On fait jouer l'instrument après le repas, au moment des liqueurs, et les participants se sentent profondément émus. Tout reste assez décent dans l'ensemble, mais les mains commencent à beaucoup s'agiter. La caricature se fait un peu cruelle pour saisir ces provinciaux à l'heure du désir.

Belle enfant qui a tant d'amoureux / Montre-toi, veux-tu, à la loggia; / Nous voici ici, tous réunis / Pour t'offrir cette chansonnette. / Gigi est à l'accordéon, / Lello à la flûte et à la mandoline, / C'est Gino qui tient la guitare, / Et c'est Peppucio qui chante. / Mais pendant qu'en bas nous jetons au vent / Les notes de notre concerto, / Qui sait de quel instrument tu joues, / Toute seule là-haut dans ta chambre ?
Chanson populaire romaine

Reproduction oléographique du tableau de H. Siemiradzki, *La Danse des épées* (musée Roumianzeff); début du XXe siècle.

En bas : carte postale; fin du XIXe siècle.

Je loue la danseuse asiatique qui se montre experte / À prendre mille postures lascives et qui s'agite et vibre des pieds à la tête, / Mais ce n'est pas pour cette science, ni pour les mouvements agiles de ses souples mains; / C'est parce qu'elle sait danser autour d'un vif épieu, et qu'elle ne refuse pas les vieillards ridés. / Elle met la langue dans la bouche, elle chatouille et étreint; et quand / Elle relève ses cuisses, elle sait réveiller un mort.
Automedonte

Gravure du XVIIᵉ siècle, tirée de *L'Amour et l'esprit gaulois*; Paris, 1928.

Comme une vipère, dans les étreintes / Tu te tordais, et tu gémissais; / Mais quand d'une voix tremblante / Je te dis un mot mystérieux, / Toi, tu tournas vers moi ton regard / Bleu clair en tel don d'amour qu'il me parut / Voir tes yeux et ton visage rose / Éclairés d'une lueur élyséenne. / Oh! alors, quelle extase!... Des frissons, des frémissements / Ont couru les fibres; les chairs ont / Scintillé; dans les muscles tendus / Martelait, en s'exténuant, le plaisir.
G. D'Annunzio

Aquarelle originale française de l'époque napoléonienne.

Vendue aux conquérants romains, elle dansera, esclave, selon le désir de son maître, pour les hommes à demi étendus sur les lits du triclinium, presque nue et lascive, sous une pluie de roses, parmi les parfums des fleurs et les odeurs des mets. Libre, elle ne dansera plus pour son plaisir, mais dans la nécessité de se trouver un amant généreux.

Elle n'entrera plus dans les palestres, comme à Sparte, pour y ragaillardir les membres et éduquer l'esprit, mais pour chanter des chansons obscènes et effectuer des exercices plus raffinés aux fêtes des riches. À Baia, elle dansera, ivre de sensations fortes et spasmodiques, la danse des éphèbes, se flagellant jusqu'au sang, et, lançant en arrière sa jambe souple et nue, elle se martèlera les reins à coups de talon. Dans les provinces lointaines de l'empire, elle ira montrer la danse corruptrice d'Ariane et de Bacchus, jouant le

Illustration tirée de *La Vie parisienne*; années 20.

Et puis, lascive, harmonieuse, vigilante, / Fière, tu t'élances dans le vertige / De l'obscène danse ionique / En agitant le thyrse de pampre;

Et, tout en partant d'un fort éclat de rire, / Au son rauque des tibias que l'on frappe, / Comme une bacchante ivre, tu clames : / — Évohé / !...
G. D'Annunzio

J. fait célébrer la fête & les orgies des Adamiles.

rôle de l'amant, puis celui de l'amante, avec des
gestes brûlants et langoureux, et elle dira toute
la violence du désir et toute la douceur de
l'abandon. Et elle finira par se prostituer
complètement, aux fêtes des lectisternes, sur les
tables services, parmi les vins et les fruits, dans
les tumultueuses orgies de Pompéi et
d'Alexandrie.

Paolo Mantegazza

Gravure française en couleurs; fin du
XIXe siècle.

Mariette est femme très honnête,
Et si ce n'est un jour de fête,
Elle a toujours l'aiguille en main.
Théophile

LA VALSE D'AMOUR.

L'Amour nous dit valsez; ce Dieu réglant nos passes,
Je prétends que mon vit, tendis que tu m'enlaces,
Entre et sorte en mesure, et que tout ton conin
Soit abreuvé de foutre au son du tambourin.

Paris.

Gravure anonyme en couleurs tirée des *Œuvres libres* de Paul Verlaine.

Il faut tout un orchestre pour donner vraiment de l'ambiance à une orgie. Mais il ne s'agit pas seulement de musique : les borborygmes, les grognements, les sons indistincts que produit secrètement le corps humain lui-même, sans contrôle, sont ou peuvent être des éléments du plaisir des sens pour ceux qui ne craignent pas d'aller à la recherche d'Éros dans toutes ses manifestations.

Déjà le comte, dans un moment de délire assaisonné des exclamations les plus passionnées, est allé jusqu'à déposer un baiser fixe et mouillant sur cette bouche impure, de laquelle, en pareil cas, il serait disgracieux d'obtenir un soupir.
Andréa de Nerciat

Aquarelle du XIXe siècle (école française).

… Le comportement de Beineberg frappa
Törless comme celui d'un prêtre libertin qui,
perdant la tête, mêle des mots équivoques aux
formules d'une prière.
Robert Musil

Au lit avec un vieux monsieur.
N'abusez pas des titres honorifiques en parlant
à votre protecteur. Excellence, monseigneur,
monsieur le vice-président du Sénat sont des
expressions qu'il vaut mieux laisser de côté.
Bien plus, ne craignez pas de l'appeler :
Cochon ! Petit salaud ! Grand polisson ! Ces
gros mots prononcés avec un petit soupir
seront toujours bien accueillis.
Pierre Louÿs

Illustration d'Adolfo Magrini pour le volume *Érotiques;* Milan, 1921.

Les mots des amants, ceux qu'ils échangent dans leurs étreintes, ne sont pas toujours ceux du langage amoureux officiel. Ils perdraient sans aucun doute à être répétés sur un autre ton et dans d'autres circonstances; dans la pénombre complice de l'alcôve, leur verdeur et leur caractère effronté attisent les feux de la volupté.

Carte postale; début du XXᵉ siècle.

L'ouïe se conjugue à la vue et à l'odorat pour déclencher l'amour à distance. Chez les espèces animales qui ont ce sens particulièrement développé, il sert souvent à la signalisation amoureuse.
[…] Tous les scientifiques sont d'accord pour admettre que les insectes font entendre leur voix afin de se localiser plus facilement et de se retrouver.
[…] C'est ainsi que le moustique émet un son qui correspond aux notes ré et mi, et il suffit de répéter ces notes par la voix ou au violon pour voir des essaims entiers se précipiter dans la direction du son.
Ferdinando De Napoli

Oléographie tirée de la série *Les Cinq Sens*; France, fin du XIXe siècle.

Votre sein palpite plus vite
D'anxiété à l'appel de notre voix.
G. D'Annunzio

Gravure xylographique du XVIIIᵉ siècle, tirée de *L'illustrazione italiana*; début du XXᵉ siècle.

En bas: reproduction en fac-similé de silhouettes, tirée de la collection *Er und Sie*; Vienne, 1922.

Lisette avait dans un endroit
Une cage secrète;
Lucas l'entrouvrit, et tout droit
D'abord l'oiseau s'y jette !
Collé

Carte postale de la fin du XIXe siècle.

En bas : gravure à l'eau-forte; Naples, fin du XIXe siècle.

Rébus à double et triple sens. Le XIXe siècle s'est montré très friand de rébus, et certains sont si savants et si compliqués qu'il est presque impossible de garder le fil des diverses interprétations. Il était bien sûr tentant d'imprégner d'érotisme ces jeux subtils, et les dessinateurs ne s'en privèrent pas. Ici, on retrouve le goût de l'époque pour les jarretières coquines, avec cette cible qui donnerait le goût de la chasse aux plus pacifistes.

L'odorat

Une dame de la haute bourgeoisie lombarde se souvenait avec amusement de l'époque de son adolescence, au tout début de ce siècle. Depuis sa plus tendre enfance, elle avait évidemment lu les ouvrages de la Bibliothèque rose et les quelques livres italiens qui étaient alors publiés pour la jeunesse; cependant, comme sa famille était passionnée de musique et surtout d'œuvres lyriques, on lui avait mis entre les mains les livrets d'opéras du répertoire traditionnel. C'étaient des fascicules assez piteux, avec une couverture en papier d'un jaune orange déplaisant, mal imprimés, avec des caractères si petits qu'ils en étaient presque illisibles.

Très vite, avant même d'être admise aux fastes des somptueuses soirées de la Scala, elle avait su par cœur le texte de toutes les romances et les répliques des récitatifs. Il y avait cependant une exception, et une exception de taille, le *Don Juan* de Mozart. Le joli volume (car, pour une fois, il s'agissait d'une belle édition ancienne) lui avait été littéralement arraché des mains par ses parents. Trop sage et trop obéissante pour chercher à se procurer un autre exemplaire en cachette, elle s'était résignée à l'interdit, sans toutefois réussir à en deviner le motif.

C'est seulement beaucoup plus tard, au moins vingt ans après, que le petit mystère a été éclairci. Elle était à la Scala avec une amie, et un Don Juan allemand, à la voix splendide, mettait tout son talent à prononcer correctement l'italien, en exagérant même peut-être un peu. Il en vint au passage célèbre, « Odor di femina ». D'un air dégoûté, l'amie prononça les mots en même temps que le chanteur et ajouta, en se penchant dans la pénombre de la loge : « Qu'en penses-tu ? Moi, j'ai toujours trouvé que c'était une grossièreté. » Elle n'était certes pas la seule ! Plus de cent ans de répression puritaine avaient réussi à imposer l'idée, au moins auprès du grand public, que le XVIIIe siècle avait été une époque pleine de poudre de riz et de confiseries doucereuses, peut-être libertine mais surtout mièvre, avec des marquises se pâmant et minaudant devant leurs sigisbées, en évoquant le « temple de l'amour », la « grotte de Vénus » et les « flèches de Cupidon ». C'est pourquoi l'on se demandait comment les contemporains de Mozart, si fades, avaient pu supporter de telles verdeurs de langage sous le livret de Lorenzo da Ponte.

En fait, il suffit de se pencher sur les œuvres littéraires et artistiques de cette période pour en saisir la réalité, ne serait-ce que dans la version non expurgée des *Mémoires* de Casanova, ou dans les lettres de divers personnages. Celles de Mozart lui-même sont d'ailleurs révélatrices. S'il ne parle pas directement de cette fameuse « odor di femina », il évoque différentes odeurs, plus ou moins suaves et parfois franchement repoussantes, sans périphrases et de façon manifestement provocante et érotique. Les crudités de langage sont légion dans les textes de Voltaire et surtout de Restif de La Bretonne, pour ne rien dire de ceux de Sade, qui peut être considéré comme un professionnel du genre. Les personnages peints par Hogarth ou par Fragonard semblent tout prêts à lâcher des expressions pleines de verdeur, comme il devait s'en dire à plaisir dans les rues étroites, grouillantes, sombres et malpropres de Londres, de Paris ou de Vienne, mais aussi à la cour des rois, dans les salons de l'aristocratie et même dans la « ruelle » du lit des dames qui recevaient dans leur alcôve. Ces personnages du siècle des Lumières étaient d'un raffinement qu'il est difficile d'imaginer aujourd'hui, et évoluaient dans des lieux décorés avec un goût exquis; ils n'étaient cependant pas dérangés le moins du monde par la puanteur extrême résultant de l'absence de l'hygiène la plus élémentaire.

Il aurait fallu de l'eau et du savon en abondance pour se débarrasser de ces odeurs nauséabondes et, à tout le moins, pour simplement s'en distraire, il aurait été nécessaire de se ruiner en parfum. Il existait d'ailleurs, au XVIIIe siècle (et même à des époques beaucoup plus reculées), des parfums d'origine animale comme la civette, l'ambre et le musc; il s'agissait de senteurs fortes, mais, à la fin du siècle, on a vu apparaître une sensibilité nouvelle et une conception différente de la pudeur (qui devait d'ailleurs mal finir, dans les aberrations de l'arrogante pudibonderie victorienne). Cette évolution a conduit à rechercher ailleurs, dans le règne végétal, des arômes plus suggestifs et plus fins, parlant une tout autre langue à l'imagination. Aussi, sur les coiffeuses des belles de toute l'Europe qui avaient vingt ans quand les Français faisaient la révolution, se pressaient de précieuses fioles de cristal contenant des essences de fleur d'oranger, de rose ou de violette, et l'un des premiers parfums à être commercialisé se nommait « Quelques fleurs ».

Mais arrêtons-nous un instant encore sur ces anciens parfums utilisés depuis des époques fort reculées. Tous les bons dictionnaires nous donnent des indications sur leur origine et leurs caractéristiques. La civette est une substance onctueuse, sécrétée par la glande péritonéale d'une espèce de petit mammifère carnassier (*Civettictis civetta*), à l'odeur très pénétrante, proche de celle du musc. L'ambre est une matière très odoriférante, de couleur brune, que l'on trouve dans les mers du Japon et des Moluques; il s'agit d'une concrétion qui se forme dans l'estomac du cachalot. Quant au musc, c'est une sécrétion très aromatique et pénétrante, émise par les glandes de différents mammifères; il présente très probablement une fonction liée à l'activité sexuelle (notons que l'on peut en dire autant de cette même substance, prélevée, et utilisée par les jolies femmes). Ces différentes matières ont été brûlées sur les autels, sous toutes les latitudes, pour honorer les dieux, les amadouer et obtenir leurs faveurs. Ces dieux, d'ailleurs, il faut le remarquer, ont toujours eu la bonne habitude de n'apparaître aux humains que précédés de fortes effluves de parfum, et il n'est pas nécessaire, loin de là, d'être un maniaque sexuel pour ressentir un trouble délicieux à l'évocation d'une apparition de Vénus Aphrodite. Et à ce propos, comment ne pas se souvenir de l'incorrigible Jupiter lui-même qui, une fois de plus amoureux, n'hésita pas une seconde à se transformer en taureau pour enlever la merveilleuse Europe en prenant soin toutefois de s'imprégner généreusement des plus suaves arômes, des cornes à la queue. C'est du moins ce que raconte le poète syracusain Moschos (IIIe siècle av. J.-C.) dans une de ses élégies. Si c'est vrai, force est de constater que le vieux Jupiter a fait des émules en la personne de tous les apollons de banlieue qui se transforment en centaures (au moyen d'une Kawasaki ou même d'une vieille mobylette), en prenant la précaution de s'asperger d'une bouteille de parfum de supermarché pour courir vaillamment à la conquête de la discothèque de leur cité.

Il y a fort à parier que c'est au musc que Jupiter se parfumait. Les anciens Grecs, pour leur part, faisaient confiance à l'essence de lierre pour ne pas être ridicules dans les orgies; l'essence de rose elle-même, que nos bonnes grands-mères achetaient sans rougir dans les pharmacies, était considérée comme efficace dans le même domaine. Ce n'est pas pour rien que le terrible Solon, qui connaissait son monde, avait interdit l'usage des parfums aux Athéniens : on sait en effet que l'odorat est le sens de l'imagination, et que de l'imagination à l'agitation, il n'y a guère de chemin; quand on gouverne et qu'on veut tenir en bride le commun des mortels, il ne s'agit donc pas de plaisanter avec le parfum.

Il en allait tout autrement pour ce qui concernait les souverains, princes, connétables et chefs en tout genre, et les anecdotes ne manquent pas. Un bon exemple nous est fourni par Pierre d'Estoile dans son *Journal du règne d'Henry III*. Il raconte qu'en l'an 1572, à la cour de France, sont célébrées les noces du roi de Navarre avec Marguerite de Valois, et celles du prince de Condé avec Marie de Clèves. Cette dernière à seize ans; Le chroniqueur nous dit qu'elle est admirée pour sa beauté et aimée pour sa bonté. Mais laissons-lui la parole : « Après avoir longtemps dansé, elle se trouve un peu incommodée par la chaleur du bal; la princesse passe alors dans un vestiaire où une dame de la suite de la reine mère l'aide à changer de chemise. À peine est-elle sortie que le duc d'Anjou (le futur Henry III) entre à son tour pour se repeigner (il s'agissait d'ailleurs probablement d'autre chose car, à en juger par les portraits qui nous sont parvenus, le jeune héritier du trône portait une perruque et des perles); par erreur, il s'éponge avec la chemise que la jeune fille venait d'abandonner. De ce moment, le prince conçoit pour elle la plus violente passion, si forte même que la disparition prématurée de son objet ne pourra la dissiper. »

Étrange pouvoir des odeurs intimes d'une fraîche jeune fille ! La princesse était mariée du matin et, autant qu'on puisse le supposer, elle était encore vierge. Le roi Salomon, déjà, dans le *Cantique des Cantiques*, s'extasiait sur le parfum des vierges. Ces anecdotes des coulisses de l'Histoire nous sont narrées comme des contes; elles nous donnent l'occasion de rêver un peu au parfum que devait exhaler Cendrillon, merveilleusement parée par sa marraine la fée, au beau milieu de sa nuit de bal, lorsqu'elle dansait et tournait, et qu'elle séduisait son prince. Et qu'imaginer dans le cas de la Belle au bois dormant (dans son lit depuis cent ans, pensez !) lorsque le Prince charmant se penchait sur ses lèvres pour y déposer le baiser salvateur ?

Il s'agit là de charmes et d'enchantements, étranges et délicieux, auxquels il faut croire, même quand ils se produisent dans de tout autres circonstances et à des époques bien différentes. Ainsi, juste après la guerre, Édith Piaf évoquait avec douleur et nostalgie son légionnaire (était-ce Jean Gabin ou Gary Cooper ?) qui « sentait bon le sable chaud ». Une autre chanteuse réaliste, célèbre elle aussi, parlait encore plus franchement, dans une chanson, de l'atmosphère d'une guinguette abominable, imprégnée d'alcool et de sueur, quitte d'ailleurs à implorer, en quatre ritournelles : « Laisse un peu la fenêtre ouverte »...

Mais revenons à nos moutons (qui, dans le cas présent, sont parfumés à la rose, comme ceux de Marie-Antoinette au Petit Trianon), c'est-à-dire à cette fin du XVIIIe siècle. Jean-Jacques Rousseau, s'il n'a pas vanté l'odeur naturelle du bon sauvage, a néanmoins entraîné toute l'Europe dans les chemins des bons sentiments, des émotions et des larmes; un voile descend non sur la beauté des dames (les décolletés restent, heureusement, fort généreux) mais sur les réactions qu'elles provoquaient jusque-là sur leurs admirateurs, et sur leur manière de les manifester. C'est au jardin que l'on ira, désormais, chercher les arômes et les senteurs, non pas pour renforcer ou provoquer les odeurs naturelles du corps humain, mais au contraire pour les adoucir et les faire disparaître. C'en est fini de l'« odor di femina ». Napoléon Ier lui-même n'échappe pas à la tendance, bien que toute une vie passée dans les casernes et les campements ne le prédispose pas à une délicatesse particulière dans ce domaine. Entre Ulm et Austerlitz, l'empereur a passé une nuit de rêve dans les bras d'une belle inconnue que lui a confiée Murat; il a ensuite raconté, d'un air ravi, l'épisode à Gourgaud en précisant : « C'est la femme la plus agréable que j'aie connue : aucune odeur. »

Il s'exprime encore, pourtant, avec une franchise toute militaire. Mais on est entré dans l'époque de l'euphémisme, des allusions discrètes et des parfums qui jettent un voile sur certaines grâces naturelles et intimes. Ainsi, une des héroïnes les plus représentatives du XIXe siècle, l'original de Marguerite Gauthier — c'est-à-dire Violetta Véry, c'est-à-dire la Traviata, c'est-à-dire (encore !) la Dame aux Camélias — dit ce qu'elle pense, dans un texte d'Alexandre Dumas fils : les parfums la font défaillir. Elle expédie du même coup à la poubelle les fleurs du pauvre Barville pour exalter le camélia inodore de son fidèle Armand; en réalité, on sait de source autorisée qu'elle pouvait compter sur son propre parfum personnel, et même très personnel, qui rendait fous ses admirateurs. Les autres femmes, ne disposant pas de la même arme secrète, devaient se résigner à utiliser le réséda, la bergamote ou le vétiver, ou encore l'eau, déjà célèbre à l'époque, fabriquée au numéro 4710 de la route des Cloches, à Cologne (le nom et l'adresse sont toujours valables aujourd'hui !).

Cependant, plus ou moins discrètement, certains personnages du XIXe siècle continuaient à cultiver, sans trop de complexe, leur goût pour les choses telles qu'elles sont, avec leurs avantages et leurs inconvénients, et leurs odeurs vraies, bonnes ou mauvaises. Michelet, par exemple, se délassait de son dur travail intellectuel (il rédigeait la « Bible de l'humanité » !) en confiant à son journal, pour changer un peu, le détail de ses différentes façons d'exprimer l'amour ardent qu'il portait à sa légitime. Le célèbre historien note qu'il prend un vif plaisir à enfouir la tête dans les vêtements les plus intimes de sa femme quand elle se déshabille, juste après ses règles !

Le premier roi d'Italie, Victor-Emmanuel II, quant à lui, aimait beaucoup les femmes du peuple. L'épisode de la petite bergère est assez connu. C'était une jolie fille qu'il avait lorgnée durant une campagne, et on la lui avait amenée rapidement, les courtisans cherchant à se faire bien voir en favorisant au mieux la noble cause du service du souverain. Ils eurent cependant la douleur d'entendre un rugissement de désappointement sortir de l'alcôve royale. En effet, par pur excès de zèle, ils avaient cru devoir soumettre la jeune élue à un nettoyage de détail préliminaire. « Lavée ! » s'écria le monarque déçu, dans un cri plein d'amertume.

Entre-temps, beaucoup de choses avaient changé en ce qui concerne les parfums; les dames avaient fini par céder les leurs aux femmes du peuple en adoptant, sans trop s'en rendre compte, ceux des « cocottes ». Les hommes, quant à eux, s'étaient laissés aller à l'attrait de certaines senteurs qui, jusqu'alors, étaient considérées comme purement « féminines ». Les dames, au contraire, poussaient l'audace de plus en plus loin, jusqu'à choisir des parfums « masculins ». C'était déjà, dans une certaine mesure, une mode unisexe qui commençait à s'instaurer. Et que se passait-il chez les artistes ? Les femmes de Mucha (le peintre tchèque installé à Paris, très apprécié au début du siècle), étirées et allongées comme des spaghettis, avaient, aux dires de leurs contemporains, des frissons de narines sur des fleurs inévitablement « monstrueuses ». Parmi les écrivains, Montesquieu s'était, depuis longtemps, proclamé grand amateur d'odeurs suaves. Verlaine, traînant sa peine de bordels en gargottes mal famées, couchant en habits crottés dans des lits douteux, exhalait naturellement, dans ses poèmes, des odeurs qui devaient faire froncer le nez (au moins en public) d'un Oscar Wilde.

À la même époque, ou à peu près, Guido Gozzano encore enfant s'approchait pour la première fois du monde du péché en respirant profondément les parfums de la « cocotte », voisine de vacances, qui le serrait entre ses bras à travers la grille, au fond du petit jardin de la Riviera. Quelques années plus tard, il chanterait les parfums des belles Turinoises d'alors mais, si son « Éloge des amours ancillaires » est sincère (et rien ne permet d'en douter), on ne peut s'empêcher de soupçonner que, pour lui, ce sont avant tout les odeurs de cuisine qui sont suggestives (c'est-à-dire chargées d'une valeur érotique); il les a recueillies au foyer de la Signorina Felicita, et célébrées dans ses vers.

C'est l'odeur du temps qui restera, dans la mémoire de ceux qui l'ont vécu, plus vive que tout autre aspect, puisque l'odorat est justement un sens de la mémoire (comme le goût); il concerne en tout cas quelque chose de très intime et peut nous mettre instantanément en émoi.

Les rapports entre le sens de l'odorat et l'activité sexuelle sont très intimes — et un peu mystérieux. Dans le monde animal, qui est évidemment plus libre que celui des êtres humains empêtrés dans la pensée, l'odeur est à la fois un signal et un stimulant sexuel.

Dans de nombreuses sociétés dites primitives, on s'applique sur le corps des parfums végétaux et animaux pour intensifier les odeurs naturelles. Mais, dans notre monde aussi « occidental » que « civilisé », l'implacable loi de la mode et des bienséances commande d'atténuer ces odeurs, et même de les faire complètement disparaître. Cependant, malgré l'extraordinaire sophistication de cette chimie décapante et aseptisante, les hommes et les femmes vivent toujours leur vie sexuelle dans un florilège d'odeurs.

Les villes de l'homme de la fin du XXe siècle sont presque totalement dépourvues des stimulants naturels de l'odorat comme les herbes, les fleurs, les arbres et les animaux. Cette situation rend particulièrement sensible le fumet que laisse derrière elle une personne parfumée. En fin de compte, on se parfume afin d'effacer ou de couvrir sa propre odeur naturelle au profit d'une odeur plus intense, mais qui est socialement acceptable pour cette espèce de code olfactif qui est en vigueur; l'objectif, c'est de se rendre attirante (ou attirant), à une distance assez grande, pour toutes les personnes que l'on croise (et non pas simplement pour une seule personne que l'on étreint). Il n'est bien sûr pas question ici des odeurs franchement désagréables (théoriquement, du moins) dans tous les cas et dans toutes les époques (sueur, etc.), et les déodorants ont sans aucun doute apporté là un certain progrès, surtout dans les conditions de la vie moderne (transports en commun). Mais, pour le reste, il semble que ce que l'on appelle progrès ait fini par éliminer quasiment un élément essentiel du plaisir érotique qu'il vaut la peine d'examiner dans toute ses manifestations.

Arrêtons-nous d'abord sur le pouvoir érotique de certaines fleurs, blanches le plus souvent, comme le gardénia, le magnolia ou la tubéreuse. C'est d'ailleurs des plantes qu'aujourd'hui encore sont extraits la plupart des parfums produits par l'industrie. S'agit-il toujours, quoi qu'en dise la publicité qui en assure la promotion, de senteurs exerçant une véritable action sur les sens ? Il semble que oui, d'une certaine façon, même si elles sont combinées aux odeurs corporelles (mais chaque essence prend évidemment une valeur différente selon la personne qui la porte !). Cependant, passons la frontière des parfums officiels et « civilisés » pour rechercher des senteurs plus intimes ou plus secrètes. De l'alcôve, de la salle de bains parviennent des odeurs dont on ne parle pas volontiers et qui sont évidemment assez particulières : ce sont celles des organes génitaux, des pommades et des huiles qui ne sont pas obligatoirement parfumées, des eaux du bain, des eaux de lavage, etc. Il faut se demander quel effet elles ont, quel effet elles peuvent avoir, sur la sensualité. Pour aller jusqu'au bout, il faudrait évoquer la purge qui lave le corps par l'intérieur et qui en extrait des odeurs pour le moins ambiguës, ou franchement négatives.

Sur cette voie, on parvient à un stade où l'on découvre des goûts qui peuvent paraître étranges dans le domaine de l'odorat; non seulement certains ne craignent pas ces odeurs de sueur, d'aisselle, d'aine ou de pied, mais ils les recherchent même et les apprécient. Bien plus, de nombreux textes littéraires ont mis en scène des personnages qui se délectent de l'odeur des excréments; on trouve de nombreux passages chez Sade, évidemment, mais aussi des morceaux tout à fait remarquables chez Pierre Louÿs qui a, décidément, exploré beaucoup de voies (on remarque, par exemple, cette phrase étonnante d'une femme à une autre femme : « Oh ! comme tu pues maintenant ! Comme je t'adore ! »). Les choses sont ainsi, et, comme le dit la formule célèbre : « Rien de ce qui est humain ne m'est étranger. » À ceux qui pourraient se scandaliser à ces évocations, nous aimerions rappeler les suggestions olfactives qui peuvent venir de certains aliments comme le poisson ou les huîtres, de certaines fleurs, comme celle du châtaignier qui, indiscutablement, sent le sperme, ou même aussi de la mer elle-même, dans les endroits où l'eau, charriant des algues, stagne entre les rochers.

Chromolithographie française; début du XXᵉ siècle.

Jeux de nez. Au siècle dernier, les hommes et les femmes prisaient, souvent immodérément, et y trouvaient un très vif plaisir, plus intense sans aucun doute que celui que procurent les cigarettes. La belle dame (l'amante peut-être) à sa toilette secoue au nez du gentilhomme en perruque sa houpette de poudre par plaisanterie, sans doute pour sous-entendre qu'il y a d'autres choses à respirer dans la pièce.

Gravure en couleurs d'Aubrey Beardsley.

Pendant des siècles, et même dans les époques les plus raffinées de l'histoire du monde occidental, ce qu'on appelait « les lieux d'aisance » ont été considérés avec répulsion, évités, et tenus pour un lieu sordide. Ce dégoût pour les fonctions naturelles du corps humain est évidemment lié à toute une tradition de la pensée et de la religion qui rejette les réalités physiques au profit de la prétendue pureté de l'âme. Mais, en même temps, existe depuis toujours une tradition érotique, même si elle est soigneusement (et prudemment) scellée, liée à ces fonctions, et qui n'est pas obligatoirement vulgaire. Lorsque sont apparus les cabinets de toilette, le bidet a pris une valeur symbolique, nettement teintée d'érotisme. D'autant plus qu'au XVIIIe siècle comme au XIXe, la méthode contraceptive (!) la plus répandue consistait en une toilette intime sur le bidet immé-

diatement après l'amour. De nombreux peintres (les impressionnistes en particulier) ont été sensibles au spectacle de femmes à leur toilette, comme si l'on pénétrait là au plus profond de l'intimité d'une belle.

Petite Toilette. Pointe sèche de Louis Legrand; début du XXe siècle.

Faire voir la lune : montrer son cul.
A. Delvau

Parlez-moi d'une planète
Qu'on examine à l'œil nu,
Chaque soir, me dit ma brune.
Si tu veux être discret,
* Je te ferai voir la lune*
*   A dada sur mon bidet.*
*   André Jacquemart*

Dessin au pochoir de Lucien Laforge,
début du XXᵉ siècle.

De l'écume des mers, dit-on,
Naquit la belle Cythérée :
C'est depuis ce temps que le con
Sent toujours un peu la marée.
Saint-Aulaire

Gravure d'Aubrey Beardsley.

— J'ai une sale affaire dans les jambes.

Dessin original d'un anonyme italien, retouché en couleurs; milieu du XVIIIe siècle.

Adoncques Chierma, n'y mettez de retard /
Car vous ferai péter comme vache / Si les fesses
mettez au pertuis.
Rustico Filippi

Donner ou recevoir un clystère. Faire l'acte vénérien — par allusion à la forme de la seringue que l'on introduit dans le cul. Aussi trouve-t-on dans les vieux auteurs, et notamment dans Rabelais, cette expression : clystère barbarin, dans le sens d'enculement. La seringue disparaît de jour en jour devant le clyso-pompe et autres irrigateurs : dans cinquante ans, nos petits-neveux ne sauront plus ce que c'est que de donner ou recevoir un clystère — barbarin ou non.
A. Delvau

Illustration tirée de *La Vie parisienne*; années 20.

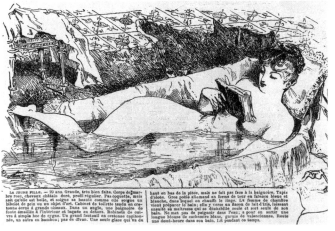

Dessin original d'un anonyme italien, retouché en couleurs; milieu du XVIIIᵉ siècle.

Tout le reste vous sera roupie de sansonnet : /
Je vous fourbirai tant de mon braquemart / Que
vous croirez que l'Arno sort de votre fente.
Rustico Filippi

Pendant des siècles, les peintres ont dû avoir recours au personnage biblique de Suzanne (surprise au bain par des vieillards qui l'accusent d'adultère) pour avoir le droit de peindre une belle femme occupée à sa toilette, dans l'intimité de la salle de bains (on connaît entre autres les deux Rembrandt). Vers la fin du XIXᵉ, cette précaution n'était plus nécessaire, et la porte des salles de bains s'est ouverte toute grande. Des nuages de vapeur en sont sortis, comme des hamams orientaux, ainsi que des parfums de toutes sortes, artificiels et de prix, bien sûr, mais aussi d'autres, naturels, et beaucoup plus révélateurs de l'intimité de la femme.

Illustration tirée de *La Vie parisienne*; années 20.

Illustration tirée de *La Vie parisienne*; début du XIXᵉ siècle.

Parfum exotique.

Quand, les deux yeux fermés, en un soir
                    [chaud d'automne,
Je respire l'odeur de ton sein chaleureux,
Je vois se dérouler des rivages heureux
Qu'éblouissent les feux d'un soleil monotone;
Une île paresseuse où la nature donne

Des arbres singuliers et des fruits savoureux;
Des hommes dont le corps est mince et
                    [vigoureux,
Et des femmes dont l'œil par sa franchise
                    [étonne.

Charles Baudelaire

BATAILLE DE HOUPPES — SCENE VENITIENNE

Almanach parfumé et illustré en trichromie; début du XXᵉ siècle.

Les petits calendriers que les coiffeurs distribuaient à leurs clients dans la première moitié de ce siècle étaient, sinon parfumés, du moins imprégnés de parfum. Cette tradition s'est presque complètement perdue (depuis peu d'années il est vrai). Les petits calendriers aboutissaient le plus souvent dans le sac à main des dames, où ils apportaient une note de fantaisie, le charme fugace d'un parfum parmi les objets de la vie quotidienne.

Image publicitaire en trichromie; début du XXᵉ siècle.

Chanson.

De grâce ! venez charmantes belles, / Fraîches servantes d'amour, / Dans le tendre pré, sur l'herbe odorante, / Pour épancher votre impatience. […] / Ainsi, vous aimez l'odeur des fleurs; / Et, dansant, semblables au vent, vous êtes toutes de grâce et d'ardeur.
Vincenzo Corrado

Carte postale; début de XXᵉ siècle.

Carte postale de 1918; dessin de C. Mauzan.

Dans ce miroir incliné sur le lit,
Je vois ton corps pesant, tes belles jambes…
Le jour douteux répandu dans ta chambre
Luit sourdement, partout, comme un halo.
Partout aussi c'est un parfum canaille…
Francis Carco

Lithographie originale de la série *La Belle et le petit singe*; anonyme, 1917.

Les vaporisateurs de parfum ont toujours occupé une place de choix sur les tables de toilette; ils sont généralement de forme très suggestive, et évoquent évidemment un autre type d'émission par giclage (celle-là réservée à l'homme). Il s'agit donc là d'un objet parfaitement ambigu que les demmes utilisent avec un bonheur évident, appuyant à plaisir sur la poire, dirigeant le jet (qu'elles contrôlent, pour une fois) sur elles-mêmes, sur leurs amies, dans la pièce.

Carte postale; début du XXe siècle.

Carte postale; début du XXe siècle.

Ce passe-temps partout en usage
Favorise plus d'un amant :
La fillette innocente et sage
Par là s'engage très souvent.
L'amour qui toujours nous partage
A soin que tout soit débrouillé,
Il dissipe plus d'un nuage
En conduisant le doigt mouillé.

La Goguette du bon vieux temps

Chemise de femme, armure ad hoc,
Pour les chers combats et le gai choc,
Avec, si frais et que blanc et gras,
Sortant tout nus, joyeux les deux bras.
Vêtement suprême,
De mode toujours
C'est toi seul que j'aime,
De tous ses atours.
Quand Elle s'en vient devers le lit,
L'orgueil des beaux seins cambrés emplit
Et bombe le linge tout parfumé
Du seul vrai parfum, son corps pâmé.
Paul Verlaine

6. La petite pommade

Affiches publicitaires de C. Boccasile; années 30.

Les belles au bain, de tout temps, ont toujours constitué un support publicitaire privilégié, et les marques de savons, d'eaux de toilette, de parfums de toutes sortes, ne se sont pas privées d'en faire largement usage. Le cinéma s'est emparé du sujet, et les ballets aquatiques d'Esther Williams ont connu un grand succès entre les deux guerres, avec les corps musclés et souples, aux maillots de bain sexy. Sans doute un peu monotones, ces films visaient à évoquer des odeurs fraîches et franches, des corps sains et nets, et c'est la même tendance que l'on retrouve dans toutes les publicités de ce type.

Calendrier publicitaire pour des produits de beauté, tiré d'une série intitulée *Les Cinq Sens*; fin du XIXe siècle.

Le serpent qui danse.

*Sur ta chevelure profonde
Aux âcres parfums,
Mer odorante et vagabonde
Aux flots bleus et bruns…*
Charles Baudelaire

Opuscules publicitaires; fin du XIXe siècle.

IGIENE DEL BAGNO

CHE il bagno sia una delle pratiche più igieniche e più necessarie della vita umana, è provato dal fatto che fin dalla più remota antichità gli si dava una grande importanza, e ne fanno fede gli splendidi edifici che i Romani dedicavano ai bagni e che essi chiamavano Terme.

Il bagno non deve servire soltanto come mezzo di nettezza corporale, ma esso ha una vera indicazione fisiologica. — L'acqua, infatti, ha un coefficente di *calore specifico* superiore a quello dei nostri tessuti. È quindi un *modificatore fisico* del nostro organismo.

… Les odeurs du corps humain ont été responsables d'un certain nombre de mariages entre des personnes éduquées avec des gens de rang inférieur, de la domesticité. Pour certains hommes, l'essentiel de la femme n'est pas sa beauté, son esprit ni son caractère, mais son odeur. Le désir de leur odeur préférée les conduit à courir derrière une femme vieille, vulgaire, vicieuse, rebutante. À ce point, le goût pour les odeurs devient une maladie amoureuse.
Alfred Binet

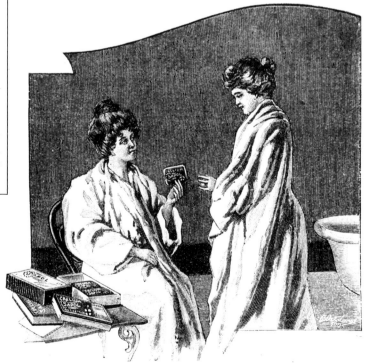

Illustration tirée de *La Vie parisienne*; début du XXᵉ siècle.

En bas : carte postale avec rébus musical. Début du XXᵉ siècle.

Les dimensions de l'appendice nasal sont-elles en rapport direct avec celles du membre viril ? Il s'agit là d'une des grandes questions posées à la science moderne. En tout cas, les anciens le croyaient fermement, et cette théorie revient périodiquement au cours de l'His-

toire, chez Rabelais en particulier, où l'on trouve des allusions et même une jolie démonstration à ce propos, mais aussi chez Sterne, qui place dans la bouche de Tristram Shandy (et dans celle de son père) des remarques fondamentales et définitives. Quoi qu'il en soit, un grand nez met son heureux possesseur à même de détecter et de mieux apprécier les odeurs intéressantes et les parfums de femmes.

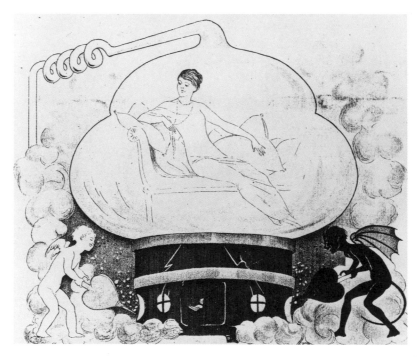

Ma l'a - mo - re l'a - mo - re è un dar-do

Illustration d'Y. Barrete pour *La Vie pari-sienne*; début du XXᵉ siècle.

Odor di femina, comme le dit le Don Giovanni de Mozart, c'est non seulement une odeur, des parfums, mais aussi tout un monde, une atmosphère particulière. La société des jolies femmes entraîne l'homme dans un univers de senteurs suaves, de sensations très éloignées de celles d'une société masculine. Ce dessinateur de la fin du siècle dernier réussit avec bonheur à exprimer ce que signifie pour lui la féminité, sous ses facettes diverses et séduisantes.

Puis, un soir de printemps agreste,
Flairer dans le vent
L'odeur d'un vieux désir qui reste
Et me réveiller plus fervent.
Francis Carco

LES FEMMES D'AUJOURD'HUI. — IIᵉ SÉRIE : ODOR DI FŒMINA!

Cartes postales; début du XXᵉ siècle.

*Trois pétales récurvés vers le haut tremblent à
chaque souffle; les trois récurvés vers le bas ne
tremblent pas : plus sombres, plus charnus, plus
duveteux, provocants presque, comme l'ombre
qui pénètre vers l'aine. Trois stigmates, en
forme de pétales, d'un violet soutenu, divisés en
deux bandes soudées par on ne sait quelle force
lascive. Les étamines jaunes au-dessus. Le
pollen se répand sur les pilosités. Fleurs*

*végétales ? Quelque chose de secret, de profond,
d'animal, de délicat, comme la seconde bouche
de la femme bilingue.*
G. D'Annunzio

*En me penchant vers toi, reine des adorées,
Je croyais respirer le parfum de ton sang.*
Charles Baudelaire

Lithographie originale de la série *La Belle et le petit singe*; anonyme, début du XXe siècle.

Gravure originale de Rudolph Koch pour un ex-libris; 1968.

Les illustrations érotiques anciennes ou modernes ont souvent joué sur les rapports qui existent entre les odeurs des aliments et celles qui émanent des organes sexuels, notamment au moment où ils sont en excitation. L'instinct animal devrait guider le petit singe à chercher ailleurs, dans une tout autre tasse, le parfum qu'il a évidemment remarqué. Ci-contre, la jeune fille aux allures de belle sauvage semble proposer une comparaison entre la pomme qu'elle tient dans la main et le fruit mûr qui s'épanouit entre ses cuisses largement ouvertes.

Carte postale, années 20.

Il en est des parfums comme de certains individus qui roulent dans l'ornière après avoir occupé le haut du pavé. C'est ainsi que le patchouli — cette senteur si forte, qui vient de l'Inde — a commencé sa carrière de parfum sur les tables de toilette des dames du monde; il était recherché par les coquettes de l'aristocratie, et vendu à prix d'or. Au début de ce siècle, il est devenu le parfum attitré, franchement vulgaire, des prostituées et des bordels — il en était peut-être plus excitant. À tel point que les clients, à la sortie, devaient largement s'aérer et secouer leurs vêtements avant de rentrer chez eux — leur légitime n'ayant pas le nez dans sa poche. Voilà quelques années, certains parfumeurs ont tenté de le remettre à la mode, mais sans grand succès, comme si l'odeur du patchouli était devenue pour toujours un parfum de scandale.

Chiquita sentait la vanille
Et, quand parfois je la pinçais,
Elle me disait tout bas : — Assez !
Mé prénez-vous pour ouné fille ?
Francis Carco

Dessin publicitaire pour une revue illustrée des années 30.

Qu'est-ce qui est le plus excitant chez la malicieuse fille qui vient d'ouvrir sa bonbonnière et qui est prête à l'offrir ? La saveur ou le parfum ?

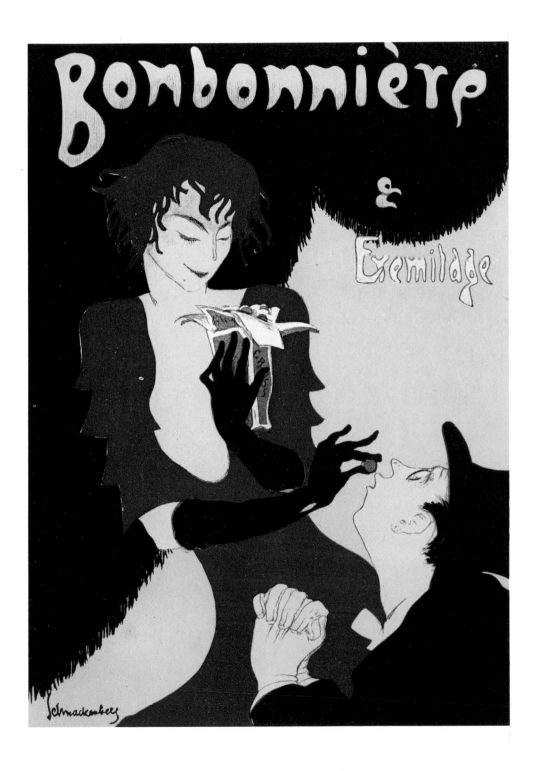

Gravure coloriée au pochoir, tirée d'une série de 12 aquarelles publiées en 1917.

Le culte de Sapho avait son temple à Mytilène, où la belle poétesse s'entourait de jeunes filles qu'elle formait aux jeux du corps, aussi bien qu'à la musique et à la versification. Les ébats des amies ont, depuis toujours, exercé une très forte séduction et une grande attirance sur les hommes. Verlaine les chante, comme avant lui Baudelaire, mais sur un ton plus léger. Ici, la jeune fille s'est engouffrée avec entrain sous la vaste grotte de la crinoline aux parfums suaves et doux, pour découvrir une autre grotte, tout aussi ouverte, à l'odeur plus sauvage. Les deux corps l'un dans l'autre imbriqués forment — et l'artiste s'y est appliqué — une sorte de « monstre érotique » au corps démesurément allongé, qui n'en a pas moins des rondeurs charmantes.

...Puis tombe à genoux, puis devient farouche,
Et colle sa tête au ventre, et sa bouche
Plonge sous l'or blond, dans les ombres grises.
Paul Verlaine

Cette cloche de soie où le double battant
De vos jambes tinta le glas de mes caprices
J'en sonne ma Germaine et le sein haletant
Et les mains appuyées sur vos hanches
*   [complices.*
Guillaume Apollinaire

Gravure française en couleurs; fin du XIXe siècle.

En cas d'évanouissement, la médecine recommande divers traitement d'urgence, et, au XIXe siècle, on se hâtait de faire respirer les sels, à l'odeur très forte, contenus dans de jolies petites fioles. Le jeune homme a sa méthode, et ce n'est pas celle d'Hippocrate. Le traitement n'est cependant pas assez vigoureux pour que revienne à elle la pauvre petite. Mais tout va s'arranger car le garçon a justement une grosse fiole sur lui.

L'EVANOUISSEMENT

Que fais-tu mal adroit? ton doigt ne suffit pas:
Prends ton vit pour flacon, le foutre pour essence
Et ta belle fut-elle aux portes du trepas,
Elle va dans l'instant, reprendre connoissance.

Paris.

Gravure française à la pointe sèche; anonyme, années 30.

De ses cheveux élastiques et lourds,
Vivant sachet, encensoir de l'alcôve,
Une senteur montait, sauvage et fauve,
Et des habits, mousseline ou velours,
Tout imprégnés de sa jeunesse pure,
Se dégageait un parfum de fourrure...
Charles Baudelaire

Dessin original; anonyme, début du
XXᵉ siècle.

Avec la grande sagesse qui la caractérise,
même dans ce domaine, Colette a parlé
de ces plaisirs qu'on appelle physiques
bien à la légère. C'est avec la même
légèreté que les odeurs spécifiques aux
corps humains sont considérées avec mé-
pris, et qualifiées de « bestiales ». Mais
c'est peut-être aussi, d'une certaine façon,
une manière de les vanter, car c'est
probablement quand l'homme se livre à la
« bestialité » de ses désirs que l'esprit
goûte sa plus grande satisfaction, et
trouve sa paix. Baudelaire, plus que tout
autre, avec ses encensoirs, a perçu l'importance primordiale des odeurs, « sauvages et fauves », dans la séduction d'un
corps.

La Luxure, gravure d'A. Willette; 1917.

À corps perdu dans les plaisirs de l'orgie. Dans toutes les époques (ou à peu près), de telles fêtes ont été célébrées, avec l'excitation, l'exaltation que procure le rejet de toute règle, de toute mesure. Il y a cependant un art de l'orgie qui commande de donner une certaine organisation à la fête, un certain ordre au déroulement des opérations, pour véritablement en jouir avec toutes ses capacités. Mais ce qui corse vraiment le plaisir, c'est le fait même de participer à une vraie fête païenne, à une cérémonie en rupture avec la morale ordinaire, et qui sent le soufre.

Lithographie tirée de *Geh'mit, schatzerl!*
d'Heinrich Major; vers 1930.

Depuis les jambes et les cuisses,
Jeunettes sous la jeune peau,
À travers ton odeur d'éclisses
Et d'écrevisses fraîches, beau,
Mignon, discret, doux Petit Chose
À peine ombré d'un or fluet,
T'ouvrant en une apothéose
À mon désir rauque et muet.
Paul Verlaine

Carte postale; vers 1928.
En bas : carte postale; 1901.
À droite : carte postale; 1900.

La poésie (mais aussi la chanson) a,
depuis qu'elle existe, rapproché la femme
et la fleur, de mille façons. Dans ses
jeunes années, chaque jeune fille possède
une fleur que l'amour fait éclore, une fleur
qu'elle doit préserver, qu'un rien peut
abîmer. L'homme, pour sa part, est le
jardinier qui ne se préoccupe que de cette
fleur, le voleur qui veut la cueillir dans le
jardin d'autrui, le botaniste (dans le cas
du libertin) qui cherche à collectionner…
des bouquets entiers, des fleurs au parfum
encore inconnu… éternelle quête. La
jeune fille se rend généralement compte
trop tard de la valeur de sa fleur unique,
mais elle l'a déjà perdue. Citons, pour le
plaisir, les tendres et mélancoliques vers
d'*A la claire fontaine* : la belle se lamente
d'avoir été abandonnée par son ami Pierre
« pour un bouton de rose que je lui
refusai »; et elle ajoute : « Je voudrais que
la rose fût encore au rosier, et que mon
ami Pierre fût encore à m'aimer. »

La nudité des fleurs c'est leur odeur charnelle. /
Qui palpite et s'émeut comme un sexe femelle. /
Et les fleurs sans parfum sont vêtues par
pudeur. / Elles prévoient qu'on veut violer leur
odeur.
Guillaume Apollinaire

L'odorat
the smelling

„Der Geruch"

Carte postale; dessin de M. Cherubini, 1917.

Reproduction en fac-similé d'une silhouette de la collection *Er und Sie*. Vienne, vers 1922.

Il ne faut pas être grand clerc pour comprendre la signification du gentil petit chat que la jeune femme s'amuse malicieusement à agiter sous le nez de son amant, faisant mine de le lui offrir et de le retirer. Lui, de son côté, lui agace les lèvres avec ce qui semble être un bel œillet charnu (!). La femme-rose, à gauche, dans l'éclat de sa robe pourprée, laisse flotter sur ses lèvres un sourire triomphant et satisfait. Le peintre a joliment intitulé son œuvre : *Rose fripée*. Comme on le sait, la rose est fugace, et les pétales tombent vite : il suffit d'un peu de patience.

La Rose meurtrie. Peinture de F.M. Roga-
neau. Reproduction en carte postale
monochrome couleur sépia; vers 1910.

Je veux que mes vapeurs soient parfumées,
qu'elles exhalent dans toute la pièce pour
qu'on en soit complètement imprégnés, et je
veux que mes bains soient comme des puits où
l'on tombe pour en ressortir et se sécher avec
des monceaux de roses et de gaze.
Ben Jonson

Peinture de P. Bracquemond, huile sur toile. Salon de 1909. Reproduit sur carte postale en monochromie.

La femme associée aux roses est un sujet classique de tableau. Celui-ci a fait grand bruit au Salon de Paris de 1909; la rose de chair qui y est représentée semble se servir de la rose pour exciter, peut-être pour assouvir son désir. La toile est intitulée *L'Odorat*, et elle dégage un fort parfum érotique, encore renforcé par la présence du miroir.

Salon de 1909. *L'Odorat par Pierre Bracquemond*

Fleur de lotus. Carte postale avec un dessin d'A. Chazelle se référant au bal du Moulin-Rouge. Paris, 1920.

Gravure française anonyme. *Le Crocheteur et la bouquetière.* Paris, XVIIIe siècle.

Le langage des fleurs n'avait pas de secrets pour la jeune fille du XVIIIe siècle. C'était un langage chaste, presque puéril. Au contraire, ce sont des choses troublantes qu'évoque la ballerine Fleur de lotus. Quant à la charmante fleuriste, la « bouquetière » comme on disait joliment à cette époque, elle se fait ravir un baiser par

le crocheteur, c'est-à-dire le portefaix. Ce dernier laisse sa main s'égarer sur le plateau de la belle, signe qu'il compte bien cueillir une autre fleur, encore cachée, celle-là, sous le plateau.

Cessez donc de pleurer un sort digne d'envie,
Et ne regrettez plus la plus belle des fleurs;
Si ne la garder pas, c'est faire une folie,
On goûte en la perdant mille et mille douceurs.
Bussy-Rabutin

Gravure sur cuivre, anonyme, pour *Séduction*, œuvre libertine en tirage privé; 1939.

Gravure à la pointe sèche, retouchée; fin du XIXe siècle.

Ô toison, moutonnant jusque sur l'encolure !
Ô boucles ! Ô parfum chargé de monchaloir !
Extase ! Pour peupler ce soir l'alcôve obscure,
Des souvenirs dormant dans cette chevelure,
Je la veux agiter dans l'air comme un
*   [mouchoir !*
La langoureuse Asie et la brûlante Afrique,

Tout un monde lointain, absent, presque
*   [défunt,*
Vit dans tes profondeurs, forêt aromatique !
Comme d'autres esprits voguent sur la
*   [musique,*
Le mien, ô mon amour ! nage sur ton parfum.
Charles Baudelaire

Lithographie originale de la série *La Belle et le petit singe;* anonyme, début du XXᵉ siècle.

Magie de la fumée. De la cigarette qui a, depuis un siècle, conquis l'Europe, ou du narguilé qui continue d'emplir, de ses nuages lourds et parfumés, les pièces de l'Orient à la fois proche et lointain. Le tabac a toute une gamme d'odeurs qui parlent aux sens, qui ravivent le souvenir et anticipent le plaisir, qui consolent les amants dans leur solitude, qui calment leur impatience mais réveillent leur désir. Un fantasme d'amour s'esquisse dans les volutes douces, grises et bleues, qui donnent des contours plus doux.

Mais je connais aussi les grottes parfumées.
Où gravite l'azur unique des fumées
Où plus doux que la nuit et plus pur que le jour
Tu t'étends comme un dieu fatigué par
[l'amour.

Guillaume Apollinaire

Gravure populaire du XVIIIᵉ siècle, coloriée à la main.

Le XVIIIᵉ siècle n'est pas seulement l'époque de Watteau, de Goldoni, des ombres poudrées et perruquées, c'est aussi celle de Sade, le divin marquis de la légende, qui fut en fait un penseur profond et un génial romancier. Son œuvre reste évidemment le point de référence de toute la littérature érotique.

Même au Moyen Âge, alors que les voyages étaient hautement périlleux, et que les importations de substances rares représentaient des aventures pleines de danger, les marchands ramenaient dans leurs bagages les « parfums d'Orient », souvent au risque de leur vie. Les dangers courus se retrouvaient évidemment dans le prix de vente de ces précieux produits. Depuis cette époque, la fascination de ces parfums somptueux n'a jamais cessé

d'exercer son pouvoir sur l'imagination des hommes et des femmes, qui ont cherché à entourer leur corps d'un nuage odorant destiné à exalter sa beauté. Les parfums rares, le musc, la civette, sont ainsi devenus un des lieux communs de toutes les littératures érotiques un peu chaudes, et leur évocation a toujours déclenché la mécanique du désir.

Carte postale; début du XXe siècle.

Carte postale; début du XXe siècle.

Il est des parfums frais comme des chairs d'enfants, / Doux comme les hautbois, verts comme les prairies, / Et d'autres, corrompus, riches et triomphants, / Ayant l'expansion des choses infinies, / Comme l'ambre, le musc, le benjoin et l'encens, / Qui chantent les transports de l'esprit et des sens.
Charles Baudelaire

L'étude des parfums préférés de l'homme pour les organes génitaux de la femme appartient à l'histoire ethnique de la luxure. Si l'odeur naturelle est souvent préférée, chez de nombreux peuples on utilise des senteurs spéciales pour la vulve. C'est l'Orient qui est le maître de cet art, mais beaucoup de femmes européennes se parfument tout le corps avant de se rendre au bal ou à un rendez-vous amoureux.
Hartmann a présenté à la Société anthropologique de Berlin, à la séance du 18 octobre 1873, un certain nombre de vases, criblés de trous, en terre cuite, envoyés par I. Hildebrandt. Ils sont utilisés par les femmes des Somalies pour se parfumer les organes génitaux et, en nubien, on les appelle Kalenqul *ou* Terenqul. *On les trouve même dans les plus pauvres chaumières. Le parfum s'obtient en brûlant de l'ambre prélevé sur un coquillage du genre* Strombus *que l'on trouve en mer Rouge et que les Arabes nomment* dufr. *Ascherson a fait remarquer à plusieurs reprises que ces fumigations étaient largement répandues, même en Abyssinie.*
Paolo Mantegazza

Photographie française du début du XXe siècle, tirée de la série *Les Maisons de tolérance*.

L'*Odor di femina*, évoquée par le Don Giovanni de Mozart, devient double lorsque ce sont des lesbiennes qui s'ébattent. Ces deux plantureuses amies, qui offrent tout à fait les canons de beauté du début du siècle, ont convié un gentil petit chien à participer à leurs jeux. On sait que dans la gent canine, les plus petits spécimens ont souvent l'odorat le plus fin; celui-ci n'a pas été sans remarquer ces odeurs très particulières, et il semble y prendre un intérêt certain.

Puis pais se fait, et me lâche un gros pet,
Plus enflé qu'un vlimeux escarbot...
En ce bordeau où tenons notre état.
François Villon

Carte postale humoristique, début du XXᵉ siècle.

Les élégantes du début du siècle savaient à la perfection mettre en relief leurs reliefs postérieurs. Malheureusement, elles ne semblaient pas suffisamment contrôler les intempérances de leurs intestins : c'est du moins ce que suggère cette caricature de l'époque.

Jean demandait à sa voisine
Où il placerait un moulin :
La dame qui n'était badine
Fit cette réponse au voisin :
Si tu veux qu'il n'y manque rien,
Entre mes jambes il sera bien :
Car si l'eau manque par-devant,
Par-derrière il aura du vent.
Chanson populaire française du XVIIIᵉ siècle

Non tutti i profumi sono gradèvoli.

Illustration tirée d'un texte érotique. Fin du XIXᵉ siècle.

Ferdinando De Napoli, dans un traité scientifique du début du siècle, soutient avec obstination que certains homo-sexuels sont fétichistes des pieds qui trans-pirent beaucoup. C'est en tout cas ce que semble confirmer cette gravure datant, elle aussi, du tout début du siècle, dans laquelle on remarque en outre le caractère sadique de la situation.

Carte postale de la série *Les Cinq Sens*, L'Odorat; début du XXe siècle.

Dans une caricature des premières années du siècle, une belle incontinente perd en un seul coup (fameux semble-t-il, il est vrai) tout un groupe d'éventuels admirateurs. Elle est sans doute tombée sur des niais (la pauvre !), car un public olfactif plus averti lui aurait à coup sûr réservé un franc succès et voté des encouragements.

Alors que dévotement était en discussion / Sœur Cherubina et frère Galeazzo, / Par malheur la mère en éternuant / Lâcha un pet de cul avec un bruit d'enfer.
L'Arétin

I cinque Sensi - L'odorato

Carte postale, *Attraction animale*; 1905.

Que les chiens sont heureux !
Dans leur humeur badine,
Ils se sucent la pine,
Ils s'enculent entre eux :
Que les chiens sont heureux !
Anonyme

Carte postale; *Honny soit qui mal y pense !*;
début du XXe siècle.

Carte postale signée Xavier Sager; *Coup de foudre ! A good shot !*; fin du XIXe siècle.

L'humour anglais est cette fois un peu lourd, mais n'y-a-t-il pas là une allusion érotique à caractère franchement scatologique ? On pourrait le penser, pour peu que l'on ait quelque peu fréquenté les pubs anglais, surtout à la campagne : loin des fureurs moralisantes de l'époque victorienne, l'esprit plein de santé de l'ancienne Angleterre a continué à s'y manifester.

*Tussis pro crepitu, an art
Under a cough to slur a fart.
(Tussis pro crepitu, l'art de / Tousser pour couvrir un pet.)*
Hudibras

Coup de foudre !

A Good shot !

Cartes postales françaises du début du XXe siècle. Série comique consacrée à la vie militaire.

Louis Quinze aimait peu les parfums. Je l'imite
Et je leur acquiesce en la juste limite.
Ni flacons, s'il vous plaît, ni sachets en amour !
Mais, ô qu'un air naïf et piquant flotte autour
D'un corps, pourvu que l'art de m'exciter s'y
[trouve ;
Et mon désir chérit et ma science approuve
Dans la chair convoitée, à chaque nudité
L'odeur de la vaillance et de la puberté
Ou le relent très bon des belles femmes mûres.
Même j'adore — tais, morale, tes murmures —

Comment dirais-je ? ces fumets, qu'on tient
[secrets,
Du sexe et des entours, dès avant, comme après
La divine accolade et pendant la caresse,
Quelle que puisse être, ou doive, ou le paraisse.
Paul Verlaine

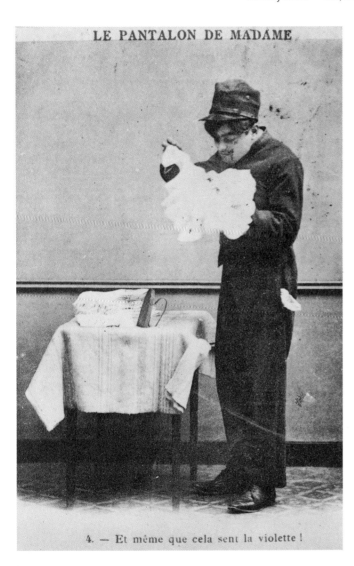

4. — Et même que cela sent la violette !

LES PARFUMS
Et le doux baiser qui les fiance
Chante l'amour et l'espérance !

DIX
PARIS
1146/

Gadget humoristique du début du
XXᵉ siècle.

Dans les premières années du siècle, tous
les prétextes étaient bons pour mettre en
avant un humour grossier et malséant —
comme ici ce baromètre à usage domestique. En d'autres temps, les choses étaient
encore plus épicées. En médecin qu'il
était, Rabelais n'a pas manqué de mentionner les choses horrifiques ou merveilleuses qui pouvaient résulter de pets pour
le devenir des races humaines.

À quoy respondit Panurge :
« Il n'est umbre que de courtines, fumée que de
teins et clicquetys que de couillons. »
Puis, se levant, fist un pet, un sault et un
sublet, et crya à haulte voix joyeusement :
« Vive Pantagruel ! »
Ce voyant, Pantagruel en voulut autant faire ;
mais du pet qu'il fist la terre trembla neuf lieues
à la ronde, duquel avec l'air corrompu engendra
plus de cinquante et troys mille petitz hommes,
nains et contrefaictz, et d'une vesne qu'il fist
engendra autant de petites femmes acropies,
comme vous en voyez en plusieurs lieux, qui
jamais ne croissent, sinon, comme les quehues
des vasches, contre bas, ou bien comme les
rabbes de Lymousin, en rond.
« Et quoy, dist Panurge, vos petz sont ilz tant
fructueux ? Par Dieu, voicy de belles savates
d'hommes et de belles vesses de femmes ; il faut
les marier ensemble, ilz engendreront des
mouches bovines. »
Rabelais

Aquarelle reproduite au pochoir pour le *Manuel de civilité pour les petites filles, à l'usage des maisons d'éducation*, de Pierre Louÿs.

La blonde et la brune (elles vont souvent par couple dans les scènes lesbiennes) se font des gracieusetés. La blonde se livre ici à un innocent petit plaisir, mais nul doute que la brune en a aussi sa part, si gentiment et abondamment arrosée qu'elle est par le jet ambré à l'âcre odeur.

Au lit avec une amie.

Si votre amie s'y prenait mal pour agiter sa langue au point où elle vous touche, il serait du dernier mauvais goût de lui pisser à la figure dans un accès de mécontentement.
Pierre Louÿs

Gravure française; vers 1930.

L'odeur tout à la fois âcre et douceâtre de l'urine de cheval a peut-être, dans l'Antiquité, été considérée comme aphrodisiaque. En tout état de cause, la belle désinvolte qui urine dans de si singulières conditions aurait sans doute causé un frisson chez tous ceux — nombreux — qui apprécient, au moins dans l'ardeur de l'amour, l'odeur de l'urine humaine. La petite curieuse de droite a elle aussi, sans doute, un frisson, mais c'est en découvrant les étranges et grosses choses qui vont, en liberté, dans la nature.

Aquarelle anonyme signée S.F. au verso et datée de 1893.

Mais finis donc, imbécile,
Sacré nom de dieu d'gredin !
Si tu n'me laiss's pas tranquille,
J'vas pisser sur ton machin.
Anonyme

Frontispice du recueil *Erotici;* dessin d'A-dolfo Magrini.

L'odeur du bouc, on le sait, n'est pas des plus suaves, mais n'était-ce pas celle des bons vieux satyres du temps jadis ? Elle est en tout cas liée, dans l'esprit de maintes rêveuses, aux capacités sexuelles réputées étonnantes du même sympathique animal. En tout cas, la robuste brune couronnée de roses a beau minauder quelque peu, son air canaille et franchement gourmand laisse suffisamment entendre qu'elle trouve fort à son goût la proximité du joyeux ongulé qui la lutine.

La chèvre du Thibet.

Les poils de cette chèvre et même
Ceux d'or pour qui prit tant de peine
Jason, ne valent rien au prix
Des cheveux dont je suis épris.
Guillaume Apollinaire

Gravure d'Aubrey Beardsley.

Le monsieur qui s'en va, en berne, est
traité avec les odeurs par les belles enguir-
landées, dans ce curieux dessin d'Aubrey
Beardsley.

Lithographie tirée des *Mémoires d'une chanteuse*, Paris, 1933.

Santa Donna Clara (dans ma pensée) / Sur le lit damassé, vaste et profond : / Sa nudité resplendit dans l'ombre, et la tête / Blonde sourit sur l'oreiller.
Raide sur ses pattes frêles, le lévrier / Frôle le pied divin de l'Atalante; / Elle, toute nue, frémit sous la caresse, / Tout entière à son plaisir étrange.

Et alors que le chien, comme pour boire, / Fait vibrer sa langue humide, en rythme sur la fleur / Du pied nivéen, il court sur son dos / Si pur de longues ondes légères.
G. D'Annunzio

Le goût

Continuant à faire mienne l'attitude des Anciens qui attribuaient au Sort l'importance d'une divinité majeure, je pourrais répéter ici la réponse que j'ai faite tant de fois, lorsqu'on m'a demandé pourquoi, à une époque de ma vie, je me suis occupé de textes littéraires anciens qui concernaient la gastronomie : c'est le hasard, et lui seul, qui en a décidé ainsi. En fait, il s'agit de toute une série d'enchaînements qui, bien au contraire, présentent une logique propre et qui m'a conduit, en tant que collectionneur et marchand, à prendre cette direction plutôt qu'une autre.

Tout d'abord, je dois remonter à quelques années, quand j'ai eu l'occasion de publier un texte inédit de Giacomo Casanova dans un petit volume à tirage limité dont je pense pouvoir être fier. Une fois imprimé, il a fallu, comme il se doit, le présenter au jugement des experts regroupés dans la Fondation Casanova. J'ai saisi l'opportunité offerte par une réunion à l'Institut français des études historiques, rue Vendramin, à la Giudecca de Venise. Tous étaient présents et, malheureusement, plusieurs d'entre eux ont aujourd'hui disparu. Il y avait en particulier Charles Samaran, venu de France, et dont je me souviens avec une émotion particulière. Furio Luccichenti avait eu l'amabilité de me placer, à table, auprès de ce grand spécialiste de Casanova qui avait alors cent deux ans (il est mort l'année suivante), et qui avait conservé toute sa lucidité.

Ce remarquable personnage se montrait particulièrement attentif à tout ce qui l'entourait. Ainsi, il témoignait une grande curiosité pour les personnes présentées, d'autant plus appréciable qu'elle était non pas simplement intellectuelle, mais qu'il s'agissait également et surtout d'un intérêt humain. À moi, par exemple, il demanda d'où je venais. De Milan, ai-je expliqué, mais je suis originaire du Piémont, de ce même Piémont qui est si mal connu des étrangers, en particulier des Français qui en sont pourtant si proches.

Ce n'était certes pas son cas ; il me démontra qu'il connaissait parfaitement la région en me racontant les souvenirs de ses visites, en évoquant la beauté de certains paysages et l'architecture de villages vraiment minuscules. En outre, il se rappelait une petite pinacothèque privée dans laquelle il pensait avoir identifié, dans un tableau du XVIIIᵉ siècle, le portrait de son auteur de prédilection.

Or moi-même, Piémontais, je n'en savais rien, et n'en avais même jamais entendu parler.

Charles Samaran me réconforta : je n'avais aucune raison de m'en excuser car le tableau en question était encore pratiquement inédit et son identification, bien qu'elle lui parût certaine à lui, faisait toujours l'objet de discussions de la part d'autres spécialistes de Casanova. Il ajouta qu'il lui semblait que je pouvais moi-même, désormais, faire partie de ces derniers. Il me questionna : est-ce que je publiais souvent des inédits ? Dans quoi étais-je spécialisé ?

Était-ce l'importance du personnage et de ses recherches, l'aura que lui conférait son âge extraordinaire ? Toujours est-il que, pour une fois, je me sentis embarrassé de devoir simplement répondre : « Je suis spécialisé dans les textes de gastronomie. »

J'avais tort d'être gêné, car Charles Samaran se montra particulièrement intéressé et s'étonna que certains pussent encore douter de l'intérêt du sujet (cette scène se passait, rappelons-le, il y a déjà pas mal de temps). Lui,

Samaran, trouvait la question passionnante. Et, puisque j'avais été promu spécialiste de Casanova, il faut dire que notre auteur préféré n'a peut-être pas été un grand mangeur, mais bien plutôt un authentique gourmet, et de nombreuses pages des *Mémoires* en témoignent éloquemment. C'est justement vers cette époque qu'en Allemagne, Angelika Hubscer avait fait publier un volume intitulé *Casanova à table*, ou quelque chose d'approchant.

Après la gentillesse et les amabilités du vieux monsieur, il ne me serait pas servi d'autre viatique pour continuer la route sur laquelle j'avais alors fait les premiers pas. Mais un autre épisode m'a fait réfléchir, et il me paraît nécessaire de le rapporter. J'avais commandé un ex-libris à un dessinateur. Selon mon habitude, je n'avais pas fixé de thème. Je m'étais borné à lui dire qu'il pourrait se référer aux livres d'une bibliothèque à caractère érotique, en choisissant librement un sujet et en le traitant selon son goût.

J'eus finalement entre les mains une curieuse fantaisie où l'on voyait Ève menacée non pas d'un, mais de deux serpents, avec également deux pommes à la portée de ses mains avides. Il y avait là de quoi s'interroger, non seulement sur l'imagination de l'auteur, mais aussi sur les nombreuses interprétations possibles de ce dessin. Ces réflexions ne manquèrent pas de me préoccuper; mais ce que j'en retins le plus — et sur quoi je souhaite mettre l'accent —, ce fut cette idée que l'action même de manger, et *a fortiori* des choses interdites ou des choses agréables mais qui sont « mauvaises », est liée, au moins dans la conscience populaire, au plaisir de la chair. Adam et Ève auraient donc ainsi goûté, en même temps, au plaisir sexuel et au plaisir de la bouche. Et mon dessinateur avait raison, même s'il délirait quelque peu : pourquoi ne pas représenter deux pommes puisqu'il s'agit du fruit le plus convoité, le plus savoureux et le plus « indigeste ». Il est en effet indigeste, non d'un point de vue alimentaire, mais parce qu'il a fait perdre à nos parents la jouissance du Paradis terrestre.

À ce point de ma réflexion, j'ai été assailli de doutes. En effet, me disais-je, qui sait si véritablement Adam et Ève jouissaient d'une félicité réelle au moment de leur péché ? Qui sait s'ils ne risquaient pas de s'ennuyer (à mourir !) dans l'éternité, en jouissant éternellement des charmes du Paradis, alors que la vie que nous menons depuis la chute du péché originel nous réserve des ivresses certes brèves, mais fulgurantes ?

Sans doute faut-il tenir compte de tous les éléments, négatifs et positifs, pour apprécier en connaissance de cause. D'un côté, il y a quelques moments de jouissance incomparable et immense, et de l'autre la fatigue, les vexations de la part des puissants et tous les malheurs sur lesquels Hamlet se lamentait avec tant de compétence. Il faut avouer qu'en fin de compte et malgré tout, Adam et Ève n'ont pas perdu leur temps en transgressant la loi divine. Pour eux-mêmes… et pour nous !

À la suite de cette fructueuse réflexion, inspirée par mon ex-libris (lui-même très inspiré), je n'ai plus jamais eu de doute concernant la voie que j'avais choisie; j'ai persité avec constance à m'occuper activement tout à la fois d'érotisme et de gastronomie historique.

C'est ainsi que, pendant de nombreuses années, je suis passé sans cesse de l'érotisme à la gastronomie et vice versa, au gré de mes chers livres anciens ou

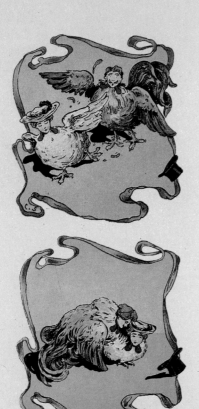

même très anciens (et aussi parfois plus modernes) avec, dans l'ensemble, une bonne moisson de découvertes; j'ai ainsi suivi la voie des habitants des palais antiques qui passaient sans transition des cuisines à l'alcôve pour célébrer leurs joyeuses cérémonies.

Et, en effet, il n'y a pas une si grande distance entre les deux :

« À batailles d'amour, champs de plumes », a dit un grand poète espagnol qui, semble-t-il, savait de quoi il parlait. On pourrait ajouter : « … et tables bien servies », en retrouvant une tradition très ancienne qui se perd dans la nuit des temps. L'amour pousse en effet plus d'une porte, et emprunte plus d'une route; comme me l'a appris mon ex-libris, la bouche est bien souvent la voie la plus rapide (et la plus agréable) pour toucher le cœur. Je parlais tout à l'heure d'une pomme qui, à n'en pas douter, est un fruit qui peut exciter les sens. Mais il faut aussi parler du vin.

C'est une chose connue : sans Bacchus ni Cérès, Vénus se refroidit beaucoup; mais on peut trouver, pour la réchauffer, encore mieux que le vin et que les aliments fournis par Cérès, la déesse des moissons; il existe en effet certaines mixtures spécialement préparées pour alimenter et activer les feux d'Éros. Ce sont ces filtres troublants que touillent, dans leurs chaudrons, sorciers et magiciens, et que dames et messieurs absorbent avec avidité, ou font absorber en cachette à un innocent (ou une innocente) qui va ainsi tout droit au devant de délicieux ennuis.

Chaque fois que j'en ai eu l'occasion, j'ai cherché, parmi tous ces livres et ces images, à découvrir et à identifier la relation entre le sexe et la gourmandise; même si elle n'est pas évidente, claire ou explicite, elle apparaît souvent mais dissimulée, suggérée, secrète. C'est ce qui se passe dans de nombreux textes et articles, et même dans les simples menus concernant les banquets fastueux qui marquent habituellement les noces des grands de la Terre. On découvre d'ailleurs que, si certains de ces mariés illustres ont fait honneur au banquet, d'autres se sont contentés de picorer, anxieux et inquiets, soupçonnant sans doute un piège infernal dans le déchaînement des joyeux convives.

Dans des documents moins officiels et beaucoup plus proches de nous, les découvertes sont souvent pleines d'intérêt. C'est ainsi que, dans les premières photographies de noces, on remarque souvent une mariée un peu pâle, l'air préoccupé et presque sévère, entre les visages rubiconds des bambocheurs qui l'entourent. Le nouvel époux, quant à lui, apparaît généralement presque aussi contracté et mal à l'aise. Il peut s'agir de noces paysannes, comme celles que décrit merveilleusement Flaubert dans *Madame Bovary*, ou de mariages citadins; on ressent, sur ces photos de groupes entourant des tables bien garnies, une atmosphère lourde que ne suffit pas à expliquer la nourriture trop abondante. C'est bien évidemment un érotisme très fort qui sous-tend de telles scènes, et que le moralisme du XIXe siècle cherchait à masquer derrière le paravent de ces fastueuses cérémonies. Incorrigible pudibonderie de l'époque.

Un film, remarquable entre tous par l'exactitude historique des costumes et des mœurs, illustre le lien évident et très fort entre la gourmandise — ou plutôt la gloutonnerie — et le sexe. Il s'agit du célèbre *Tom Jones*, très fidèlement inspiré du chef-d'œuvre de Fielding, et qui se passe au cœur d'un joyeux XVIIIe, ce siècle tellement plus libre que celui qui l'a suivi. Une scène particulièrement mémorable se déroule entre le héros et une femme, nettement plus âgée que lui (mais encore vraiment très séduisante), plus que généreusement décolletée et nettement intéressée par la belle santé de son commensal. Tous deux se font face, à une petite table d'auberge débordante de chapons, de côtelettes et de sauces; ils dévorent à belles dents, les yeux dans les yeux, anticipant déjà, par leur ardeur à mastiquer et à lever le coude, la satisfaction d'un autre appétit qui les conduira à l'étage supérieur (on apprendra ensuite, incidemment, que l'une est la mère de l'autre, charmante variation sur le thème classique des retrouvailles familiales inopinées et inattendues). La séquence est tellement remarquable que Woody Allen n'a pas hésité à la parodier sur un mode grotesque.

Comme on le voit, les exemples ne manquent pas concernant les rapports étroits et universels qui existent entre la table et le lit. J'aimerais d'ailleurs encore y ajouter un souvenir personnel. C'était en Grèce, pendant les vacances d'été; avec des amis, j'allais en bateau d'une île à l'autre, dans un endroit peu fréquenté par les touristes. Nous abordâmes sur une sorte de rocher où vivaient deux familles de pêcheurs. Par extraordinaire, elles célébraient ce jour-là une noce entre deux de leurs enfants; le marié était mince, gracile et fluet, avec une voix faible et éteinte, comme celles que l'on attribue, chez nous, aux sacristains. L'épousée, en revanche, bien qu'elle ne fût pas une Vénus (qui pourtant, quelques lustres auparavant, était sortie de l'écume de la mer à deux pas de là), était impressionnante, immense, forte, et joliment musclée; elle riait d'une façon désinvolte, avec cette santé florissante et cette pétillante vigueur propres aux jeunes ogresses. Fidèles aux lois sacro-saintes de l'hospitalité, ces joyeuses gens nous ont invités et nous ont servi une copieuse nourriture, arrosée, comme de bien entendu, de flots d'un vin fortement résiné. Nous ne savions comment remercier. De plus, nous nous sentions gagnés par une certaine inquiétude pour la suite de la cérémonie chaque fois que la massive épousée, en se penchant, laissait voir, dans son ombre, la frêle silhouette de ce qui nous semblait la victime désignée. Cependant, aucun des commensaux ne semblait partager notre inquiétude. Nous avions fini par l'oublier, nous aussi, quand, tout à coup, sortie d'une masure où elle était restée jusque-là cachée, apparut une vieille édentée, une espèce de sorcière qui riait de façon grotesque. Elle portait triomphalement une poêle pleine d'oursins sur lesquels étaient posés, bizarrement, six œufs. En clignant ostensiblement de l'œil à la compagnie, l'apparition s'approcha du mari (qui était peut-être son petit-fils) et lui secoua vigoureusement l'épaule; toujours en riant, mais cette fois de manière obscène, elle l'obligea à manger, l'un après l'autre, les oursins et les œufs, bien que nous en fussions déjà arrivés aux fruits. Le malheureux obtempérait sans rien dire. La géante, sa promise, qui avait un moment baissé les yeux, semblait l'encourager en silence. Nous autres, quelque peu embarrassés, nous essayions de regarder ailleurs en faisant mine de nous préoccuper du soleil, qui frappait fort, et de la mer, à deux pas. Peine perdue! C'est la sorcière elle-même qui réclama bruyamment notre attention et qui demanda que quelqu'un nous expliquât la finalité de ses soins. En riant d'un air satisfait, les hommes attablés s'en chargèrent par gestes… éminemment expressifs!

Dans une remarquable étude sur la tragédie de Shakespeare *Troïlus et Cressida*, un spécialiste de la littérature anglaise fait remarquer que l'héroïne est comparée à un aliment; la métaphore est bouffonne pour la belle Cressida, mais elle n'en souligne pas moins le rapport étroit qui existe entre l'appétit érotique suscité par un corps et une véritable faim de nourriture. On sait d'ailleurs aujourd'hui que le plaisir de la bouche est l'élément dominant de la sexualité enfantine des premiers temps de la vie humaine et qu'il se manifeste lorsque les nourrissons tètent leur mère.

Au moment d'examiner les rapports entre le sexe et le goût, une double voie s'offre à nous: celle de la cuisine d'abord, où tant d'auteurs nous ont précédé, et une autre, plus inusitée, qui s'égare ici et là parmi les éléments les plus divers, les allusions, les symboles et les emblèmes.

Vénus à la cuisine, une Vénus robuste qui ne craint pas de prendre quelques kilos et de voir ses hanches s'arrondir un peu, dispose d'un large éventail de recettes aphrodisiaques, populaires ou savantes, dont l'origine se perd dans la nuit des temps. Il s'agit, par exemple, d'ingrédients de base et d'aromates déjà mentionnés par le vieux Celse, le « Cicéron de la médecine », comme le calament, le thym, la sarriette, l'hysope, la rue ou l'oignon, mais aussi des recettes conseillées avec malice par Norman Douglas. Citons aussi, pour mémoire, des substances et des aliments qui sont considérés comme aphrodisiaques par tout un chacun, comme les œufs, le poivre, le piment frais ou sec (sous forme, notamment, de paprika).

D'autre part, et sur un autre plan, il y a les légumes de forme suggestive, les poissons que les belles poissonnières, telle la Ninetta chantée par Carlo Ponta, manient en toute ingénuité pour la joie quelque peu grivoise des clients, les glaces en cornets et les esquimaux, tellement suggestifs entre les lèvres rouges des petites nymphettes du cinéma (qui sortent, en plus, un frais bout de langue), certains gâteaux — comme l'éclair au chocolat —, des fruits comme la banane, numéro un des aliments classés X, ainsi que les figues et les huîtres. Il faut d'ailleurs relever que ces deux derniers aliments sont généralement considérés comme aphrodisiaques.

Nous avons suivi Vénus dans la cuisine: dépêchons-nous maintenant de la rejoindre dans la chambre à coucher. Nourrie de nectar et d'ambroisie comme la joyeuse bande de l'Olympe, elle sera en grande forme pour donner le meilleur d'elle-même. Si elle a consommé quelques-uns des ingrédients mentionnés plus haut, ses performances seront encore plus remarquables. Mais son amant, le simple mortel qui a eu l'honneur d'être sélectionné pour participer à la compétition? Gare à lui, le malheureux, s'il s'est trop attardé dans la cuisine; qu'il ait trop mangé et trop bu, et il peut s'attendre à beaucoup peiner. Loin d'être avantagé, il portera un lourd handicap pour accomplir les exploits que la belle attend légitimement de lui. À moins que, peut-être... Il faut avouer en effet que, d'une certaine façon, il s'agit encore de goût lorsque deux amants s'enlacent sur un vaste lit pour s'offrir

mutuellement les plus grands délices, et que le gourmet n'est pas toujours défavorisé. Tous deux commencent en effet par les premiers baisers, qu'on pourrait appeler les apéritifs; après, ils laissent descendre leur bouche pour boire l'un et l'autre (mais chacun de leur côté), à une source suave, en une véritable compétition amoureuse. Éros ne fait pas la fine bouche: il butine le miel qui lui convient. Les amants expérimentés, qui le savent, sourient de leur gloutonnerie et n'hésitent pas à la contenter: sur la couche qui les accueille, dans un harmonieux accord, ils forment le chiffre idéal, celui que l'on répète en le retournant.

Ébauche d'un ex-libris pour Erotica Collezione; C.S.F. Dessin au crayon, retouché en couleurs par Tata Ferrero.

L'histoire d'Adam et Ève donne à penser, dans la mesure où c'est la femme, où c'est Ève qui prend l'initiative. C'est elle qui prête l'oreille au serpent, c'est elle qui tend la main vers le fruit défendu pour le marquer de ses dents, et c'est donc elle qui met en mouvement le dialectique des rapports entre l'homme et la femme en amenant Adam à communier au même fruit.

Près d'Ève, Satan déguisé
Avec deux mots fit sa conquête;
En les prononçant, le rusé
Brandillait la queue et la tête.
Voici les deux mots du serpent :
zizi panpan.
Louis Festeau

Si vous ne jouissez pas quand le corps est vivant, / Espérez-vous donc jouir alors qu'il sera mort ? / Ce paradis pour lequel vous brûlez, / Croyez-vous qu'il soit autre qu'un jardin ? / Et puisque dans votre giron vous avez ce jardin, / Pourquoi donc cherchez-vous ailleurs le plaisir ? / Pourquoi chercher un lieu si éloigné de vous / Alors qu'en vous-même se trouve le paradis ?
Luigi Tansillo

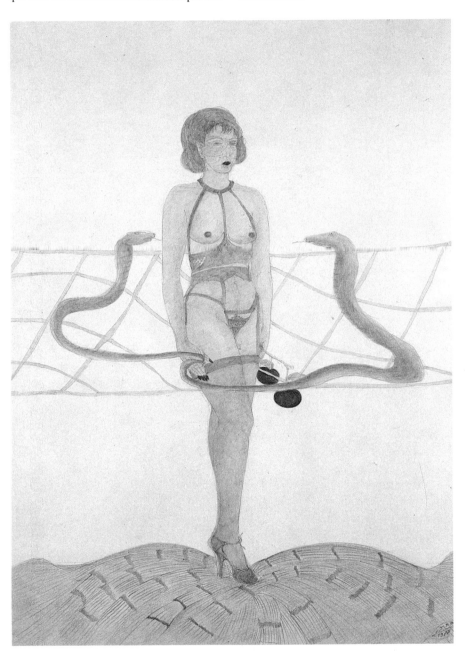

En haut : *Adam et Ève*, gravure d'Albrecht Dürer.

En bas : carte postale; début du XXe siècle.

Gravure sur acier, tirée du volume *Proverbi*, de Giuseppe Giusti; fin du XIXᵉ siècle.

Aquarelle anglaise du début du XIXᵉ siècle, reproduite dans un journal hollandais des années 30.

Éros à la cuisine. Ce n'était pas seulement pour goûter les plats que, bien souvent, le maître allait à la cuisine, mais aussi pour goûter aux charmes de la cuisinière. Celle-ci savait à la perfection rouler un gâteau ou battre la mayonnaise, et elle ne dédaignait pas (du moins dans les bonnes maisons) de faire profiter son employeur de la souplesse de son poignet.

Moi, je le veux dans le cul. — Tu me pardonneras / Ô Belle, je ne veux commettre ce péché, / Car c'est un mets pour prélat / Qui, pour jamais, a perdu le goût. / — Allez! Mets-le ici! — Je n'en ferai rien. — Si, tu le feras. / — Pourquoi? ça ne se fait plus de l'aute côté, Id est dans le con? / — Si, mais c'est bien meilleur / D'avoir le vit derrière que de l'avoir devant.
L'Arétin

Fiez-vous à ma cuisine,
Célibataires blasés,
Pour remonter la machine,
Et flatter vos goûts usés.
Louis Festeau

Cartes postales; début du XXᵉ siècle.

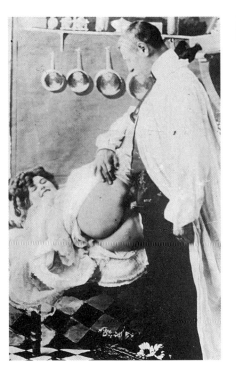

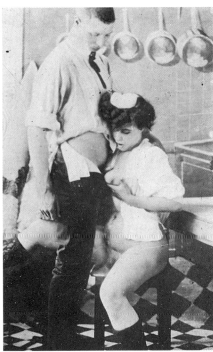

Cervelas
Nom que donnent au vit la plupart des cuisinières; aussi bien que : boudin, saucisson, andouille, bout de viande, etc., selon la forme ou la grosseur de l'objet, qui est un produit de la cochonnerie.
Alfred Delvau

Oui, mon cher, à vot' cervelas
On a fait une rud' brèche...
Vous n' me l'mettrez pas, Nicolas :
Je n'aim' que la viand' fraîche
J.E. Aubry

Un pied de vit
Un membre de douze pouces. On vous en souhaite.
Alfred Delvau

— Alors, dit Cloris tout allègre,
Un pied de mouton au vinaigre
Est bon selon mon appétit.
Mais Charlotte ces mots rehausse :
— J'aime mieux un bon pied de vit;
Il n'y faut point chercher de sauce.
Épigramme sur les appétits de quelques dames

Chair
Le membre viril, que les femmes ne craignent pas de consommer, même en Carême — parce que ce jeûne-là serait de tous le plus pénible et le plus impossible. D'où l'expression biblique d'œuvre de chair.
Alfred Delvau

Bon, bon ! sur ce ton-là, la petite friande
Il lui faut la chair vive après toute autre viande.
J. de Schelandre

Détrempe orientale sur papier de riz; XVIIIe siècle. *L'Amour au galop.*

Le Vieux Gourmand. Gravure du XVIIIe siècle, d'après une peinture hollandaise de Van Schupen.

Les fantasmes érotiques liés aux fourneaux et à leurs préposées concernent souvent les cuisines des couvents. Dans nombre de gravures de diverses époques, on peut voir des moines bien gras, excités par le vin et par le fort parfum de la viande rôtie, dans la pénombre à peine éclairée par la flamme de la cheminée, s'abandonner à l'impétuosité des sens. Des religieuses déchaînées semblent très heureuses de subir leurs scandaleux assauts. Dans l'ombre la plus épaisse, on peut, semble-t-il, distinguer un spectateur virtuel, le Divin Marquis.

Chevaucher trois ou quatre coups ne fait que mettre en appétit; il faut continuer tant qu'il y en a, pour nous donner du passe-temps.
Mililot

Il n'est rien qu'une femme trouve plus mauvais que quand l'homme la met en appétit, sans la contenter.
Bonaventure Desperriers

Dessin anonyme à la plume et à l'encre
sépia; début du XXe siècle.

Question V

*L'abbesse se réveilla en grande fureur / Rêvant
de manger du lait et de la jonchée, / Elle trouva
dans sa bouche le vit de l'abbé. / Fut-ce péché
de gourmandise ou de luxure !*

Réponse V

*Ce ne fut gourmandise ni luxure, c'est clair, /
Parce que c'est un cas accidentel; / Mais si elle
l'avait eu dans le cul / Ou dans le con, on
aurait pu avoir des doutes.*
L'Arétin

Carte postale avec un dessin de R.
Franzoni; 1930.

Brochette de petits cœurs : cette image
montre une fois de plus que les rapports
entre Éros et la bouche peuvent être
poussés, avec un peu d'ironie, jusqu'au
seuil du cannibalisme.

Menu; lithographie; début du XXᵉ siècle.

Deux fantaisies culinaires, l'une à caractère franchement sadique et l'autre destinée à remonter le moral des troupes. Dans la première, une volaille bien dodue (en l'occurrence une dame de petite vertu) a été plongée dans la marmite pour répondre au vœu du bon roi Henri IV.

A qui est destiné ce ragoût succulent ? Qui l'a commandé et fait apprêter, avec tous les ingrédients nécessaires, par les trois charmants cupidons-cuisiniers, qui y mettent tout leur cœur. Et quel morceau choisir ? La cuisse ? Certains pencheront pour le sot-l'y-laisse.

Dans la seconde (page ci-contre) se trouve mis en scène le rêve des malheureux poilus de la Première Guerre mondiale. Écoutant la musique sourde des obus et accroupi, songeur, dans la boue de la tranchée, le piou-piou avalait ses fayots en s'inventant d'autres menus, pour l'hypothétique perm. L'art de la gastronomie, c'est de bien doser le plaisir, de l'apéritif jusqu'au dessert (ici, c'est sûrement une belle pièce montée).

Carte postale de propagande militaire; début du XXe siècle.

Pousse-l'amour
Ce terme, comme la plupart des mots savoureux, est né dans les guinguettes et les faubourgs, non dans les salons élégants où, pourtant, on ne se privait pas de consommer le vieux marc, le cognac, la fine champagne, et la Chartreuse ou la Bénédictine pour les dames. Sur les bords de la Marne, on penchait plutôt pour le calvados ou surtout pour la simple eau-de-vie, fort raide. Ce petit verre donnait des forces pour l'après-midi, pour entraîner guincher les belles des barrières qui ne dédaignaient pas, non plus, ce viatique.
Le pousse-l'amour, dont nous donnons ici la formule, doit évidemment être pris après l'amour. Il permet de reprendre des forces. Dans un verre à madère, versez :
un quart de verre de marasquin de Zara et ajoutez, dans l'ordre :
un jaune d'œuf,
un quart de verre de crème de cacao,
un quart de verre de fine champagne.
Servez sans mélanger, en faisant attention de ne pas répandre le jaune d'œuf; le tout doit se boire d'un seul trait.
Omero Rompini

Loth et ses filles. Eau-forte de Schmidt, d'après un tableau de Rembrandt; 1771.

Pour se mettre en humeur, il faut emplir la
                                    [panse;
Sans Cérès et Bacchus, Vénus est sans pouvoir;
Un ventre bien guédé est plus prompt au devoir;
Après la panse, aussi, ce dit-on, vient la danse.
Anonyme

Aquarelle anonyme; début du XIXᵉ siècle.

C'est avec un bon dîner que commencent traditionnellement les soirées amoureuses dans de très nombreuses illustrations. Les choses se passent dans un pied-à-terre de campagne, ou autour d'une table d'un restaurant de luxe. On y voit toujours des mets succulents sur des plats d'argent, des vins vieux dans des flacons de cristal et des belles souriantes à la clarté des bougies, ornant la table de leur décolleté généreux. Les plus rapides se contentent d'une bonne bouteille posée sur une petite table à deux pas du lit déjà défait, et les dames n'ont pas l'air de s'en plaindre.

Wine, Women, Warmth, against our lives combine, / But what is life without Warmth, Women, Wines.

(Le vin, les femmes, la convivialité sont dangereux pour la vie, / Mais que serait la vie sans la convivialité, les femmes, le vin.)
Anonyme

Aquarelle anonyme; début du XIXᵉ siècle.

Gravure française; vers 1930.

La cuisine de Cythère.

Les aromates et les aphrodisiaques, utilisés avec discernement et avec finesse dosés dans la préparation des mets, régénèrent les organismes affaiblis : ils ravivent les sensations éteintes, les réveillent si elles sommeillent et permettent à l'homme de savourer lentement les grands plaisirs de la volupté.
Sire de Baudricourt

On dit communément que les amants perdent l'appétit et qu'ils vivent d'amour et d'eau fraîche. Si cette affirmation peut être considérée comme vraie — mais seulement d'un certain point de vue — pour ce qui concerne l'amour platonique, elle est en revanche complètement fausse pour l'autre amour, le vrai ! celui qui donne la joie suprême et la dernière volupté, celui que la prévoyante nature assigne aux êtres vivants comme principale fonction pour assurer la reproduction et la conservation de l'espèce.
Omero Rompini

Gravure italienne du XVIIIᵉ siècle. Padoue, 1712.

L'orgie est l'aboutissement des fêtes galantes et des banquets où les plaisirs des sens n'allaient pas sans cadre agréable et costumes fastueux, ou à tout le moins élégants. À table, la femme prend le goût de plus d'un fruit, d'une nourriture fort rare. L'excitation se trouve évidemment multipliée par le spectacle de celle d'au-

trui. Depuis les scènes d'orgie de l'Antiquité jusqu'aux modernes « partouzes », les plaisirs restent les mêmes : sensation de liberté dans la nudité de son corps et de ceux des autres, impression d'aventure, sentiment que toutes les satisfactions sont permises à tous les appétits, de sexe ou de nourritures.

En bas : carte postale italienne de la série *Piaceri pesanti*; 1920.

My delight is all in joyfulness,
In beds, in bowres, in banckets, and in feats...

(Tous mes délices sont dans l'allégresse, / Dans les lits, dans les chambres, dans les banquets et dans les fêtes...)
Spencer

Illustration française des années 20 pour un texte libertin hongrois publié à Budapest.

En bas: dessin original, anonyme; début du XXe siècle.

Qu'elle soit plus douce que le miel, plus pure que le lait, / L'eau dont nous aspergeons nos jardins; / Et puisque la bonne terre souvent devient dure, / On doit creuser d'abord, et puis mouiller ensuite; / Ainsi, l'eau peut couler comme il faut / Dans ses grands et ses petits canaux. / Et faire grand bien à la terre où elle coule / En y pénétrant plus profondément.
Luigi Tansillo

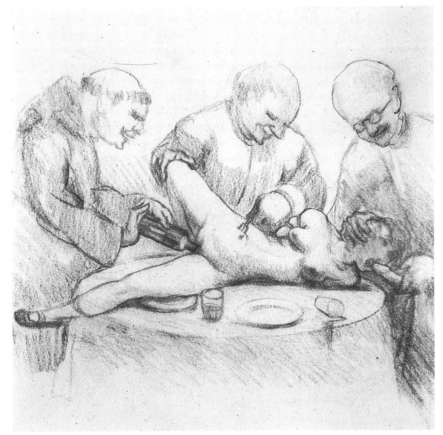

Le Repas de midi. Huile sur toile de Caucaunier.

Le bonheur des petits repas intimes, des soupers aux chandelles, ou des déjeuners pour deux. La femme qui invite prépare elle-même la cuisine, et il est évidemment sous-entendu qu'elle s'offre elle-même, comme le meilleur morceau. Elle s'habille donc en conséquence, et le repas se passe dans l'excitation de l'attente, les plats ont le goût de l'ambroisie : ils sont la promesse de plaisirs à venir, et les vins versent une double ivresse.

I owne, dear squire, it gave me pain
To see you waste your time in vain
Pursuing foxes, hares and deer,
And swallowing whole floods of beer,
While you would never take the leisure
To think of love, the greatest pleasure.

(Je l'avoue, monseigneur, j'éprouve de la peine) / À vous voir perdre en vain votre temps / À poursuivre renards, lièvres et daims, / Et à engloutir des flots de bière, / Sans jamais consacrer un instant / À penser à l'amour, le plus grand des plaisirs.)
Anonyme (XVIIIe siècle)

Le Repas de la bête fauve lesbienne. Aquarelle anonyme; années 20.

À droite : Aquarelle anonyme, illustrant les *Sonetti lussuriosi* de l'Arétin. Imprimée en 1948.

Mettimi *un dito in cul, caro vecchione,*
E spinge il cazzo dentro a poco a poco ;
Alza ben questa gamba e fà bon giuoco,
Poi mena senza far reputatione.

Che, per mia fè ! quest'è il miglior boccone
Che mangiar il pan unto appresso al fuoco ;
E s'in potta ti spiace, muta luoco,
Ch'uomo non è chi non è buggiarone.

Carte postale; début du XXᵉ siècle.

C'est ici l'heure du thé, et tout commence avec des petits fours, et des propos badins. On passe ensuite aux plaisirs plus corsés, mais les deux couples les goûtent séparément. Les bibelots, l'ameublement, les tableaux, tout laisse à penser qu'il s'agit là d'un bordel de luxe, d'une maison de rendez-vous pour les beaux quartiers, où les messieurs viennent se détendre une heure ou deux, en sortant du bureau et avant de retrouver la table de famille.

Carte postale de la série *Piaceri pesanti*; Italie, 1920.

No pedant, yet learned; no rakey-hell gay,
Or laughing because he has nothing to say;
To all my whole sex obliging and free,
Yet never be loving to any but me…
But when the long hours of public are past,
And we meet with champagne and a chicken at
*   [last,*
May ev'ry fond pleasure that moment endear,
Be banished afar both discretion and fear !
Lady Mary Montague

(Non pas pédant, mais cultivé, ni dissolu dans ses joies, / Non pas de ceux qui rient parce qu'ils n'ont rien à dire; / Galant et détendu avec les personnes de mon sexe, / Et n'ayant cependant jamais aimé que moi… / Mais après les longues heures passées en société / Quand enfin nous sommes seuls devant du champagne et un poulet, / Puisse chaque doux plaisir rendre plus doux ces instants / Et chasser loin de nous toute crainte et dissimulation.)

Gravure en couleurs d'une série d'aquarelles anonymes; 1917.

Les jolis papillons doivent faire attention
en voletant à la nuit tombée : les chas-
seurs de papillons se trouvent à l'affût
pour les épingler sur un gros bouchon. Le
prédateur, avec sa perruque grand-siècle,
a bénéficié, il faut l'avouer, de l'aide du
chat espiègle. La belle, à plat ventre, les
seins parmi les fruits, ne peut se défendre

d'une certaine surprise, mais elle va rapidement se rendre compte que le traitement que lui réserve l'entomologiste d'occasion n'est pas des plus cruels.

Sauce d'amour : le sperme.
Alfred Delvau

Il lui faut un gros vit, et lequel soit toujours
Bien roide et bien fourni de la sauce d'amour.
Théophile

Carte postale allemande; début du
XXe siècle.

Menu pour le moins séduisant, pour le
nouvel an. La jeune fille commence bien
l'année et propose des plats chauds fortement épicés, qui sont néanmoins goûtés
par la plupart des gens.

Dessin original, anonyme; vers 1925.

*C'était pour me procurer mille morts
délicieuses, qu'il ménageait avec art ce baume
précieux qui donne la vie.*
Félicia

Aquarelle originale, anonyme; vers 1930.

*Souvenez-vous que dans la position dite « 69 »
la place d'honneur est réservée à la personne
couchée. Une petite fille doit toujours occuper
la place de dessus.*
Pierre Louÿs

Les truffes.

*Celui qui parle de « truffe » prononce un grand
mot qui éveille des souvenirs d'érotisme et de
gourmandise chez le sexe faible, des souvenirs
de gourmandise et d'érotisme chez le sexe
barbu.*
*Cette double mention honorable lui vient du fait
que ce roi des tubercules a non seulement la
réputation d'être délicieux au goût, mais, en
outre, il se donne pour avoir la belle vertu
d'élever les capacités dans une certaine fonction*

*qu'on exerce dans les jouissances les plus
douces.*
D'après Brillat-Savarin

Miniature indienne, moghule, sur carton.

N'est-ce pas pour servir à la célébration de l'amour même qu'il commence à se remplir la poitrine de la plus douce ambroisie ?
Amarù

La Gourmandise préférée. Aquarelle anonyme; vers 1930.

En Orient, comme au XVIIIᵉ siècle, il s'agit de boire la coupe du plaisir jusqu'à la dernière goutte. Au siècle de Louis XV, il n'était pas, on le constate, de tout repos d'être au service des jolies marquises promptes à s'agenouiller pour vérifier que leurs valets possédaient bien les instruments nécessaires à l'exercice de leur dur

métier. Ce n'était pas tant le fait lui-même qui était éprouvant, que la nécessité de conserver, pendant toute l'opération, le plateau aussi droit que le reste.

Vimercati ne s'est point gêné pour lui faire entendre les polissonneries les plus fortes; ainsi comme elle mangeait un bonbon à la fleur d'oranger et qu'elle en aspirait la liqueur sucrée en le tenant serré entre ses lèvres. « Aimez-vous à sucer, comtesse ? » lui a-t-il dit.
La Castiglioni lui a répondu :
« À sucer quoi ? » ... puis elle a ri d'une petite façon égrillarde fort réjouissante.
Horace de Viel-Castel

La Marraine aux pieds sensibles. Carte postale française du temps de la Première Guerre mondiale, signée Xavier Sager.

Encore une image, ironique cette fois, à l'usage des soldats français. Si ces derniers risquaient leur vie au front, les belles parisiennes n'hésitaient pas à montrer leur patriotisme en s'instituant marraine de guerre, sans craindre de prendre ainsi sous leur aile plusieurs combattants. Celle-ci ne pousse cependant pas l'amour de la patrie jusqu'à mettre en péril ses délicats orteils, mais elle le fait avec le tact d'une bonne Française, à la satisfaction des deux armées représentées.

Elle a le cœur si bon, qu'en mille occasions,
Pour avoir une andouille, elle offre deux
                                    [jambons.
Legrand

La marraine aux pieds sensibles

Ci-dessous et page suivante : cartes postales de la fin du XIXe siècle.

Le Gourmand, Source de jeunesse et Bacchus, trois mystérieux personnages, croqués à la manière d'Arcimboldo; le genre était particulièrement prisé, et adapté à toutes les occasions.

Pour une blonde.

Le terme de « blonde » comprend toute la gamme de nuances entre les cheveux couleur de blé d'or des filles du Nord, jusqu'au châtain clair qu'on appelle aussi « blond vénitien ». D'une façon générale, pour la blonde, notre vieux marcheur conseille :
1. Sélectionner un restaurant « qui se respecte ». Il est préférable que la tapisserie du cabinet particulier soit en harmonie avec le blond de la chevelure : donc, choisir une étoffe
d'un bleu turquoise. L'air devra être imprégné d'essence d'héliotrope blanc; sur les meubles seront disposées des brassées de violettes de Parme et des gerbes d'iris de Florence; sur la table, placer en abondance des tubéreuses et du muguet parmi lesquels on choisira les fleurs qui orneront le sein palpitant.
Le piano habituel, et bruyant, sera remplacé par une chaise longue, plus silencieuse.
2. Convocation discrète du maître d'hôtel, avec lequel on arrangera le menu suivant :

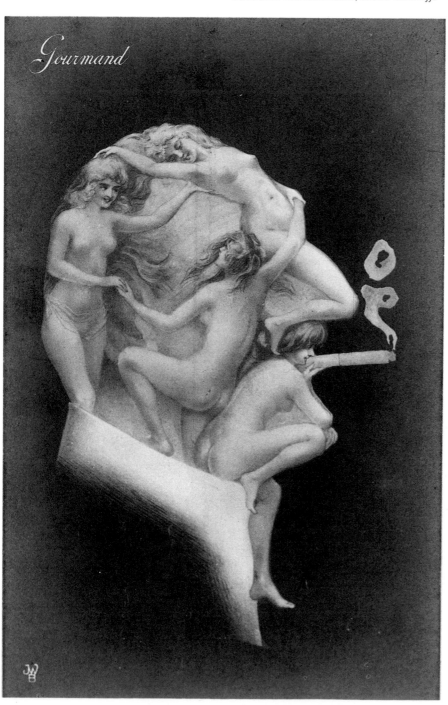

Gourmand

Source de jeunesse
Jungbrunnen

Homard à l'américaine
Œufs à la Messaline
Perdreaux à la sultane
Petits pois à l'antique
Pommes à l'Ève gourmande
Vins : Sauternes — Chambertin
Champagne Veuve Clicquot –
Ponsardin demi-sec
3. Les effets... encourageants de ce menu succulent permettront de commencer les travaux d'approche lorsque sera débouché le chambertin, c'est-à-dire au moment de l'entrée en scène des perdreaux à la sultane. Après avoir goûté les pommes à l'Ève gourmande, on procédera franchement à des attaques plus sérieuses.
On conseille un choix très méticuleux dans la recherche du nid, qui devra être élégant et doté du meilleur confort : l'épaisseur des tentures garantira contre l'indiscrétion des panneaux de portes, et la douceur moelleuse des tapis permettra d'atténuer la chute des vertus les plus féroces.
Omero Rompini

Pour une brune.

Le « brun » a lui aussi une infinité de nuances, qui va du « brun Van Dyck » de l'Arlésienne jusqu'aux teintes chaudes des Italiennes, des Catalanes et des Andalouses.

Lorsque l'on convie une brune à associer les délices de la table aux voluptés de l'amour, notre vieux marcheur conseille un cadre choisi toujours dans un restaurant de premier ordre; le cabinet devra être tendu d'étoffes dans les tons vieil or; des parfumoirs répandront des essences de verveine et de corylopsis; des roses thé et des roses rouges seront disposées sur la table et sur les meubles; les œillets variés et le mimosa sont les fleurs les plus indiquées pour orner le corsage de la victime destinée à l'holocauste.

Le menu sera le suivant :

Suprêmes de soles à la D'Estrées
Œufs pochés à la Cléopâtre
Faisans à l'orientale
Asperges au vert
Bombe diamant

Vins : Moselle — Château Margaux
Xérès sec
Champagne Pommery – Gréno extra-sec

Le Château Margaux sera dégusté avec dévotion au moment des faisans à l'orientale… Les parfums excitants, les plats délicats, les vins généreux paralyseront peu à peu, chez la brune, toute velléité de résistance : ses défenses perdront graduellement de leur vivacité… et elle s'abandonnera bientôt, triomphante et vaincue.

Omero Rompini

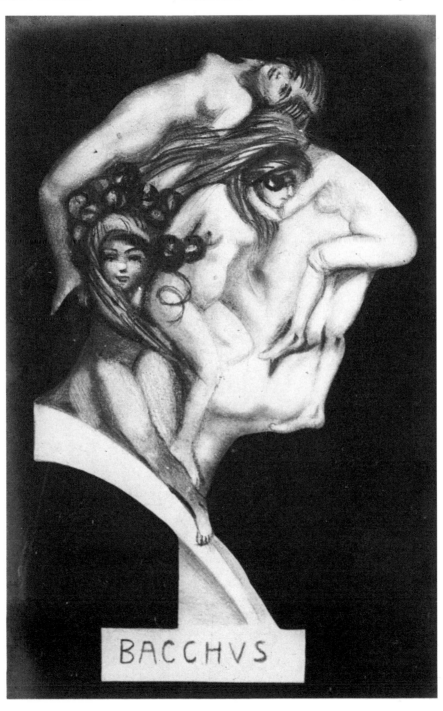

BACCHVS

Illustration en oléographie pour un calendrier œnologique; début du XXᵉ siècle.

Gravure d'A. von Bayros.

Les cuisiniers improvisés ont souvent tendance à mettre une larme de vin dans tous les plats, pour obtenir un effet de « grande cuisine ». Les enfants, quant à eux, ont une règle d'or qu'ils ne transgressent pour rien au monde : le sucre est toujours appréciable dans les boissons. Mais les femmes, généralement, savent, elles, ap-précier le vin en quantité ad hoc (ni trop ni trop peu) pour savourer et se griser un peu sans que cela soit préjudiciable au rite de Vénus.

Carte postale en couleurs pour la publicité du chocolat Zaini, signée Bonacini.

Calendrier pour la publicité de produits de beauté; tiré de la série intitulée *Les Cinq Sens;* fin du XIXe siècle.

Pommes à l'Ève gourmande.

En attendant les sensations exquises promises par les pommes à l'Ève gourmande, faites votre profit de ces quelques lignes du bréviaire gastronomique de notre vieux marcheur.

Dans une tasse, versez 150 grammes de tapioca du Brésil, extra-fin; humidifiez légèrement avec un peu d'eau et laissez s'imbiber pendant près d'une douzaine d'heures.

Versez le tapioca ainsi préparé dans un demi-litre de lait bouillant; faites cuire à feu doux une vingtaine de minutes.

Choisissez quatre belles pommes Calville, épluchez-les, divisez-les en quartiers et enlevez les trognons.

Disposez ces quartiers de pommes convenablement sur un plat qui va au feu; saupoudrez généreusement de sucre parfumé à la vanille. Versez dessus. régulièrement, le tapioca au lait, et terminez en ajoutant une coupe de vin d'Alicante. Mettez à feu doux jusqu'à la cuisson des pommes.

Parfumez au citron. Servez chaud.

Omero Rompini

Bacchante. Huile sur toile de P. Trouille-bert, reproduite sur papier couché.

Et vous, si vous fermez votre charmant giron / À l'eau qui d'Amour ruisselle et pleut, / À terre vous verrez gésir la beauté / Qui vous élève, ou si vous restez sourdes aux prières. / Et si vous ne prenez le bras qui vous invite, / Personne n'appréciera votre joli fruit; / Que nos eaux emplissent donc vos girons, / Soyez les vignes, et nous serons les ormes.
Luigi Tansillo

Hippocras aphrodisiaque.
Voici la formule de ce stimulant incomparable :
Cannelle 30 grammes
Gingembre 30 grammes
Clou de girofle 8 grammes
Vanille 8 grammes
Sucre blanc 1 kilo
Vin de Bourgogne rouge 1 litre
Omero Rompini

Carte de vœux française; 1905.

Le vin et l'amour. Le jus de la treille coule sur les autels de Vénus, certes, mais en petits ruisseaux — pour l'homme, du moins, s'il ne veut pas faillir en chemin; en effet, le lait de l'automne, ennemi du droit et du lisse, pousse à la courbe et à la sinuosité, ce qui tombe mal en l'occasion. Pour les femmes, elles ne craignent pas grand-chose du sang de la vigne.

Le joli raisin, ferme et plein, belles dames, / En vieillissant devient sec et fripé, / Ne voyez-vous pas qu'il vous avertit / Que passe votre beauté, tout comme lui ? / La beauté que l'on ne saisit pas sur l'heure, / C'est le raisin sur la vigne abandonné : / Il y pourrit, et pourtant — alors que passe l'hiver — / Un autre, en liqueur, devient presque éternel.
Luigi Tansillo

Femmes de poche. Carte postale d'après un tableau d'A. Villa; début du XXe siècle.

Et s'il advient que je brûle de soif / Par la sueur que je perds en ruisseaux, / Ne croyez pas que c'est au bon vin que j'aspire / Ni que je me plonge dans l'eau fraîche; / Seule une cerise que je suce en la pressant, / Ou une pomme, me rafraîchit rapidement; / Elle adoucit la soif sans l'éteindre / Et fait se redresser les meilleurs de mes membres.
Luigi Tansillo

Le Goût. Carte d'après une aquarelle de M. Cherubini; début du XXe siècle.

Le chocolat, auxiliaire de la cuisine de Cythère.

Tout ce qu'on peut dire sur le chocolat, sur ses potentialités nutritives et excitantes, a été magnifiquement résumé par Brillat-Savarin, en quelques lignes de sa Physiologie du goût; nous répétons ici la substance de ces paragraphes car il est impossible de mieux dire.
Après une abondante collation, si l'on prend une bonne tasse de chocolat, on aura parfaitement digéré trois heures après et on sera parfaitement d'attaque pour faire honneur à un copieux dîner.
Et c'est ici le lieu de faire mention du précieux bien-être que l'on tire de l'usage du chocolat à l'ambre, bien-être que j'ai constaté en maintes expériences, et je serais donc fier que mes lecteurs puissent en tirer profit.
Ainsi donc : tout homme qui a bu quelques gouttes de trop à la coupe de la volupté, tout homme qui a employé à travailler une partie notable du temps qu'il aurait dû consacrer au sommeil, tout homme d'esprit qui sent son génie momentanément obscurci, tout homme qui croit sentir l'air trop humide, le temps trop long ou l'atmosphère trop pesante, tout homme qui est tourmenté par une idée fixe qui affecte sa sérénité d'esprit ou sa liberté de pensée, tous ces gens — à mon avis — doivent absorber une bonne tasse de chocolat ambré à raison de soixante-douze grains d'ambre (ou, mieux, de la teinture d'ambre) par livre de poudre, et ils seront émerveillés du résultat.
Omero Rompini

LE GOÛT   IL GUSTO

Vignette humoristique de *La Vie parisienne*; années 20.

Conseils aux hommes affaiblis.

À ceux-là qui n'ont plus ou qui ont moins l'ardeur nécessaire et désirée aux jeux amoureux, il est recommandé de se préparer à l'épreuve par des repas au menu desquels figurent des poissons de mer, des truffes, des lentilles, des carottes, des asperges sauvages, du mouton cuit et assaisonné avec du fenouil, du cumin et de l'anis. Comme dessert, les pignons, les pistaches et les noisettes cuits au four sont recommandés.

Pour compléter, il leur faudra prendre, une demi-heure avant de commencer la bataille, une ou deux cuillerées à café d'un électuaire connu sous le nom de « baume de Ciprigna ». La recette est la suivante :

Fleurs de stoechas 15 g
Baies de myrte 25
Anis 20 g
Carottes sauvages 20 g
Safran 15 g
Dattes sèches 50
Jaunes d'œufs 4
Eau de source 500 g
Faites chauffer dans un récipient de terre bien fermé pendant vingt-cinq minutes.
Retirez du feu, filtrez et, lorsque c'est tiède, ajoutez :
Miel pur 50 g
Laissez macérer pendant vingt-quatre heures et filtrez de nouveau.
Omero Rompini

L'ALMÉE DU SALUT

— Mon pauvre vieux, si tu continues à boire comme cela, tu finiras sur *ta* paille !

Madame est servie. Aquarelle signée F.D.;
Paris, 1926.

Carte postale en couleurs signée A.
Mauzan; 1918.

Histoire d'œufs qui ne sont pas nécessaire-
ment de Pâques. C'est ainsi que la facé-
tieuse belle aux longues jambes n'attend
pas les fêtes pour s'offrir elle-même
comme (divine) surprise. Mais, pour le
monsieur, les fêtes sont passées depuis
longtemps et il lui reste à tenir le rôle de
l'œuf à la coque.

Les œufs.

*Les œufs constituent un aliment possédant une
grande valeur nutritive, mais également tonique
et excitante : nutritive parce qu'ils contiennent
une grande quantité d'éléments protéiniques et
surtout de l'albumine, tonique et excitante à
cause de la lécithine contenue dans le jaune.
Les recettes sont innombrables pour les cuire et
les rendre satisfaisants au palais de tous les
gastronomes : nous ne donnerons ici que
quelques plats parmi les plus savoureux, qui
sont en même temps reconnus pour être des
reconstituants efficaces du point de vue qui est
le nôtre — compte tenu du but particulier de cet
ouvrage.*
Omero Rompini

Lorsqu'étendue sur mes genoux, tes deux bras frêles autour de moi, tu cherches mon sein, la bouche tendue, et me tètes avec lenteur entre tes lèvres palpitantes...
Pierre Louÿs

Dessin anonyme, au crayon; début du XXe siècle.

Si, comme le dit le poète, l'homme est né dans les larmes, il n'en reste pas moins qu'avec un peu de chance, il sera bien vite consolé par la jouissance du premier des plaisirs (par ordre chronologique). Il suffit qu'une belle nourrice, d'un seul geste, ouvre pour lui son corsage pour que s'ouvrent en même temps les portes de la béatitude. Il découvre pour la première fois ces globes ronds et blancs, à peine veinés de bleu, et il les attaque immédiatement, d'une langue tout de suite experte au bouton rose, et en tenant en main l'autre tétin (puisqu'il vaut mieux tenir que courir); c'est la première fois qu'il se rassasie pleinement, et il n'oubliera plus jamais cette première petite orgie. Les jeunes filles le savent bien qui, depuis toujours, ont fait tout ce qui était possible pour présenter à leurs amoureux une poitrine épanouie... même si le reste n'était pas à l'avenant.

La mythologie érotique contemporaine continue à rendre hommage aux glorieux globes. C'est vrai, bien sûr, pour les stars célèbres qui grâce à ces atouts se sont fait un nom qui continuera à briller dans la mémoire des hommes, toujours nostalgiques, mais aussi dans celle des femmes, qui ne peuvent se défendre d'être follement envieuses. Mais cela se vérifie également pour les foules de starlettes de plage qui cherchent toujours à se distinguer par la rondeur et la fermeté de leurs jeunes poitrines. Quelques-uns les regardent d'un air amusé, mais tous, au secret de leur cœur, leur rendent un vibrant hommage, tant est vivant en eux le confus souvenir du premier et enivrant téton qui les a nourris et en même temps qui les a initiés au plaisir, les consolant par là de la peine qu'ils se sont donnée pour venir au monde.

La Porteuse d'eau. Carte postale égyptienne; début du XXᵉ siècle.

Ah ! les petits gloutons. Gravure anonyme du XVIIIᵉ siècle.

Si le lait de nos chèvres te semble fade, je louerai pour toi, comme pour un enfant, une nourrice aux mamelles gonflées qui chaque matin t'allaitera.
Pierre Louÿs

Aphrodisiaque abyssinien.

Mettez dans un verre :
Deux morceaux de sucre;
Quatre gouttes de curaçao;
Un verre à liqueur de porto rouge.
Remplissez d'eau. Faites chauffer le tout jusqu'au frémissement.
Servez avec une rondelle de citron piquée de quatre clous de girofle, et saupoudrez de noix de muscade râpée.
Omero Rompini

Les Petits Seins. Dessin anonyme, à la sanguine; début du XXe siècle.

Ce beau sein sur ma bouche,
Qu'il est pur !
Ce bouton que je touche,
Qu'il est dur !
Gustave Nadaud

La Gourmandise. Gravure d'A. Willette; 1917.

Ne crois pas que je t'ai aimée. Je t'ai mangée
comme une figue mûre, je t'ai bue comme une
eau ardente, je t'ai portée autour de moi comme
une ceinture de peau.
Pierre Louÿs

L'Averse d'amour. Aquarelle anonyme; début du XXᵉ siècle.

Question XXV

Un ermite un jour, d'aventure, / Rencontra une abbesse un peu simplette; / Il lui demanda, sans penser à mal, / Qu'elle veuille, de grâce, lui offrir une miche; / Elle leva sa robe jusqu'à la ceinture, / Lui montra sa belle et blanche motte, / Et dit qu'elle n'avait rien d'autre à donner. / Devait-il ou non accepter la charité ?

Réponse XXV

Puisque la charité se fait à la maison, / L'ermite ne devait pas refuser / La blanche motte, délicate et belle / Que voulait lui donner l'abbesse, / Mais dire plutôt avec un sourire : / « Ma sœur, / Je ne veux pas refuser ta charité ». / Et, pour montrer qu'il l'avait appréciée, / Sauter dessus et donner un tour de clé.
L'Arétin

Eau-forte pour un ex-libris, de Michel Fingesten.

Nostalgie de la première enfance et de la joie des tétines — naturelles ou artificielles — dans la bouche ! Les femmes qui se livrent au plaisir de la fellation recherchent, passionnément parfois, une saveur nichée dans un coin profond de leur mémoire, celui d'un lait incomparable et délicieux. À la poursuite de ce souvenir — de cette chimère ? — certaines montrent une constance digne d'admiration, accolant sans relâche leurs lèvres interrogatives aux vivants biberons.

Étant enceinte, Dame Berniciglia / Vit de sa fenêtre passer un vit / À la tête si grosse qu'il ressemblait / À un gros matras d'arbalète; / Elle, qui en avait envie, le prit en bride, / Toute joyeuse, de la main droite, / Et dans sa bouche le mit en grande hâte. / Pêcha-t-elle par gourmandise ou par luxure ?
L'Arétin

Gravure française en couleurs, vers 1930.

Le bâton de sucre de pomme.
Le membre viril — à cause de sa forme, de sa
longueur et du goût sucré qu'il a en fondant de
plaisir dans la bouche de la femme qui le suce.
Alfred Delvau

Dessin anonyme, à la sanguine; début du
XXe siècle.

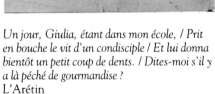

Un jour, Giulia, étant dans mon école, / Prit
en bouche le vit d'un condisciple / Et lui donna
bientôt un petit coup de dents. / Dites-moi s'il y
a là péché de gourmandise ?
L'Arétin

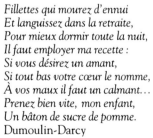

Fillettes qui mourez d'ennui
Et languissez dans la retraite,
Pour mieux dormir toute la nuit,
Il faut employer ma recette :
Si vous désirez un amant,
Si tout bas votre cœur le nomme,
À vos maux il faut un calmant…
Prenez bien vite, mon enfant,
Un bâton de sucre de pomme.
Dumoulin-Darcy

Aquarelle originale, de l'école française du XIXe siècle.

Café des deux colonnes.

Prendre son café aux deux colonnes, c'est-à-dire, gamahucher une femme. Le con sert le café au lait; les deux jambes sont là pour la forme, et ne servent que d'enseigne aux deux colonnes.
Alfred Delvau

Dessin anonyme, au crayon; début du XXe siècle.

Dans l'âge d'or, quand le gland et la pomme / Étaient du ventre humain les louables aliments, / La femme ignorait tout et l'homme ne savait rien / De ce qu'était l'honneur et de la chasteté; / Sénile et débile, un vieillard inventa / Ces lois d'honneur qui ont gâté le monde; / Rassasié de plaisirs, à lui inaccessibles, / Il voulut opposer la loi aux plaisirs des autres.
Le monde alors ne connaissait ni mien, ni tien, / Perfides ferments, qui ont donné le mal : / À plus d'un, à plus de deux même, une femme / Honorable pouvait s'abandonner, sans reproche, / Car, n'ayant pas d'homme qu'elle pût dire sien, / Elle ne pouvait se plaindre que d'autres le lui enlèvent : / Jamais aucune femme ne manquait de plaisir, / Puisque tout était commun à toutes.
Luigi Tansillo

Aquarelle anonyme; début du XXᵉ siècle.

La femme aimée jusqu'à la folie, l'homme affamé d'elle jusqu'au cannibalisme : les textes de Sade en sont pleins. Il ne s'agit pas seulement de littérature, de dérèglement du roman gothique conduit jusqu'à ses dernières conséquences, à son aspect le plus halluciné. Souvent encore, les mots pèsent sur la page, menacent de la déchirer, de la brûler. Les images, mystérieusement, se révèlent plus acceptables : un rite proche du cannibalisme peut apparaître encore comme une bouche qui donne du plaisir, mais dans la douleur. Les saveurs restent encore dans les limites du supportable et il s'agit malgré tout d'un rite amoureux. Si un vent de folie parcourt la scène, Tanatos n'a pas encore superposé son pâle et blanc visage aux traits colorés de feu d'Éros.

À l'office.

Ne branlez pas tous vos petits amis dans une carafe de citronnade, même si cette boisson vous paraît meilleure additionnée de foutre frais. Les invités de monsieur votre père ne partagent peut-être pas votre goût.
Pierre Louÿs

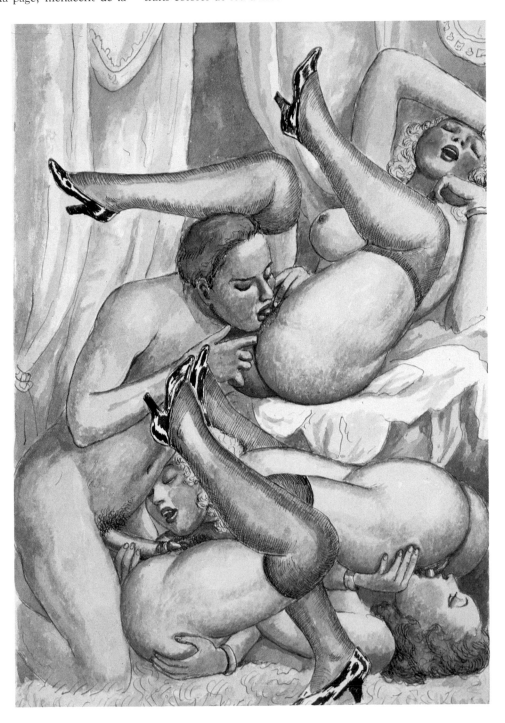

Ex-libris d'Italo Zetti pour Mark F. Seve-
rin; xylographie.

En visite.

*Si une dame modeste vous dit : « Mon fils
travaille moins bien que votre frère », ne
répondez pas : « Oui, mais son foutre est
meilleur ». Les éloges de ce genre-là ne font
aucun plaisir à une mère chrétienne.*
Pierre Louÿs

Geh' mit, schatzerl!, xylographie d'Heinrich Major; vers 1930.

Il y a de nombreuses façons d'être à table ensemble et ces deux commensaux dégustent ici, au même rythme, en profond accord et en intime participation, des plats concomitants. Sous le signe du chiffre à la fois magique et coquin, on pourrait dire que le mythe de Narcisse arrive à un heureux dénouement : c'est l'histoire du reflet qui se superpose aux traits de l'être aimé que l'on repaît en le paissant.

En voulez-vous, ils sont délicieux. Carte postale italienne; années 30.

Au marché de Cythère, l'île des amours heureux, les fruits sont plus beaux que partout ailleurs. L'amateur sait bien que les fruits gentiment proposés par une belle fruitière au corsage plus qu'entrouvert sont toujours des primeurs. Ce thème des seins parmi les fruits a souvent été traité par les peintres.

« Hélas ! lui dit la veuve, les bras peuvent être un peu moins mal que le reste; mais vous m'avouerez que la gorge n'était pas digne de mes attentions. » Alors elle laissa voir le sein le plus charmant que la nature eût jamais formé. Un bouton de rose sur une pomme d'ivoire n'eût paru auprès que de la garance sur du buis, et les agneaux sortant du lavoir auraient semblé d'un jaune-brun.
Voltaire

Ne volete, son deliziosi

Ils sont mûrs et savoureux. Carte postale italienne; années 30.

Il prit la jeune fille debout entre son bras gauche et son pourpoint bleu. D'une main qui semblait indiquer à des spectateurs invisibles une collection d'horticulture, il toucha d'abord la bouche qui devint fleur de pêcher, puis les seins qui, suivant l'image, furent deux pêches portant leurs noyaux; puis il osa des métaphores qui venaient peut-être de Chénier, mais certainement pas de Lamartine.

La gardienne des framboises écoutait avec sensualité cette poésie toute orientale. Incapable d'imposer son humble et faible retenue au désir d'un homme qu'elle trouvait plein de génie, elle se laissa conduire, sans résistance, vers un canapé de jardin, le débarrassa d'une centaine de fruits, et mit son point d'honneur à donner généreusement ce qu'on voulait bien attendre d'elle.

Pierre Louÿs

Son maturi e saporiti

Gravure d'A. von Bayros; début du XXᵉ siècle.

Carte postale anglaise humoristique signée G. E. Studdy.

Depuis les temps où Priape, qui n'avait encore rien perdu de sa triomphante virilité, avait la garde des produits du potager, les beaux fruits de la terre ont toujours fourni mille comparaisons aux amants espiègles. Ce sont des jeux de mots pleins d'enseignements, où l'on mêle la banane et la figue, le radis rose et la grenade, l'aubergine et l'abricot.

Devoirs envers Dieu.

Remerciez-le d'avoir créé les carottes pour les petites filles, les bananes pour les jouvencelles, les aubergines pour les jeunes mères et les betteraves pour les dames mûres.
Pierre Louÿs

MISS BANANA GOES NUDIST.

Eau-forte; Naples, fin du XVIIIᵉ siècle.

Abricot fendu.

*La nature de la femme qui ressemble, en effet, à
ce fruit — ce qui permet de supposer, vu
l'absence de toutes preuves contraires, que le
Paradis terrestre était un immense abricotier.*
Alfred Delvau

La Porteuse d'offrandes. Carte postale reproduisant une peinture à l'huile de
Consuelo Fould; début du XXᵉ siècle.

Figue.

*La nature de la femme qui est la nature de ce
fruit, un peu plissée, un peu molle — et
savoureuse comme lui. Les Italiens ne jurent
que par là : Per la fica ! disent-ils.*
Alfred Delvau

*De ton figuier, mange le fruit.
Et ne va pas durant la nuit
Du voisin grignoter la figue.*
Parny

Dessin à l'encre, signé Garcia-Pérez; début du XXᵉ siècle.

Quant à la comtesse, elle portait avec insolence le poids de sa beauté, elle en étalait les preuves avec ostentation; nous ne saurions dire qu'elle était décolletée, mais nous pouvons affirmer la nudité de sa gorge qu'entourait à peine une gaze zéphyr, l'œil en suivait le contour et les moindres détails; enfin la partie que la gaze elle-même laissait complètement à découvert s'étendait jusqu'au bout du sein.

La fière comtesse n'a pas de corset; elle poserait volontiers devant quelque Phidias s'il s'en trouvait un par le temps qui court, et elle poserait parée de sa seule beauté. Sa gorge est vraiment admirable, elle se dresse fièrement comme la gorge des jeunes Mauresques; les attaches n'ont pas un pli, en un mot les deux seins semblent jeter un défi à toutes les femmes. La Castiglione est une courtisane comme les Aspasie, elle est fière de sa beauté et ne la voile qu'autant qu'il le faut pour être reçue dans un salon.

Un homme lui a dit hier soir en fixant sa gorge : « Je les connais, maintenant, les deux superbes rebelles à tout frein, prenez garde comtesse, tout à l'heure les vêtements des hommes vont devenir trop étroits ! »
H. de Viel-Castel

Dessin à la pointe sèche, anonyme; début du XXᵉ siècle.

Carte publicitaire d'un restaurant français, reproduisant un dessin de René V. Deparday; 1927.

Photographie anglaise de la fin du XIXe siècle.

Son cou est blanc de neige, et son sein est de lait; / Fait au tour est son cou, large et plein est son sein; / Deux jeunes pommes, dans l'ivoire modelées, / Balancent et bougent comme l'onde au premier zéphyr.
L'Arioste

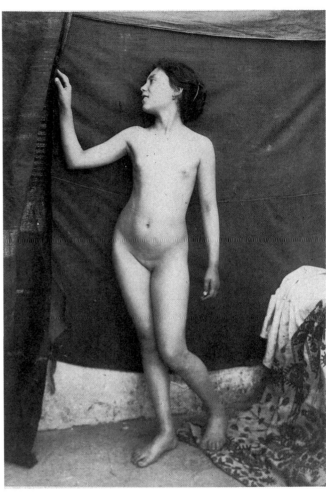

Après avoir fait le tour de tant d'appétits, le corps est rassasié, toutefois les odeurs sont encore capables d'éveiller sa curiosité, de rallumer ses feux, de raviver son espoir de découvrir des sensations inconnues, des lointains fascinants à l'exotisme troublant, alors même que le monde rapetisse tous les jours pour le voyageur. La caravane du désir passe à l'horizon; les plus ardents partent sur ses traces et les autres se contentent d'en rêver.

Gravure anonyme du XIXe siècle, de la série *Les Diableries*.

Formule plus spécialement recommandée pour cuisiner le poisson.

« Nous donnerons la préférence à une recette tirée des annales gastronomiques du XVIe siècle. Cette formule, si précieusement conservée et décrite avec un plaisir évident dans les chroniques du temps, était le plat de poisson préféré du bon roi Henri IV, dont les prouesses amoureuses sont restées fameuses. »

Huîtres au champagne.

Dans une casserole, faites bouillir une cuillerée de chair de poisson, un verre de champagne et un bouquet d'herbes aromatiques. Ouvrez les huîtres, égouttez-les sur un tamis et recueillez l'eau que vous ajouterez à votre sauce. Faites réduire cette sauce sur le feu; plongez dedans la chair des huîtres en les laissant bouillir pendant une minute; servez avec une garniture de croûtons dorés.
Ormero Rompini

Dessin anonyme; début du XXe siècle.

Elle ressemble, dans les bandes
De son petit vertugadin,
Aux demoiselles de lavandes
Dans les bordures d'un jardin.

Elle bravoit, faisant la roue
Devant le galant qui la sert
Comme une mouche qui se joue
Dessus la nappe d'un dessert.
Sygognes

Le toucher

Où Schéhérazade, la pauvre, avec une vie monotone comme la sienne, est-elle allée chercher toutes ses histoires, pour les raconter ainsi au féroce sultan pendant mille et une nuits ? Il est vrai qu'à y bien regarder, sous toutes les latitudes, tout le monde raconte des histoires; elles sont plus ou moins poétiques, plus ou moins belles, mais toujours également exemplaires — tout comme celle qu'à la moindre occasion je retrouve immédiatement, avec ses couleurs originales.

« Pudique comme un homme », aurait dit Colette, avec sa profonde science en la matière : notre compagnon de voyage rougissait. La femme aurait certainement rougi elle aussi si elle n'avait pas été si fière d'être écoutée religieusement dans cette conversation fort libre que seules permettaient les longues heures passées en commun dans le train; cette situation donnait à nos paroles une franchise qui n'aurait nulle part ailleurs été possible.

« Vraiment », insistait cette jolie femme en souriant, « de la façon la plus banale, et même, c'est le cas de le dire, la plus vulgaire. »

Les choses avaient commencé par une discussion sur un best-seller, qu'un film avait ensuite très largement popularisé dans tous les publics. Nous en étions venus, finalement, à nous proposer de raconter, chacun à notre tour, de quelle manière avaient commencé nos histoires d'amour personnelles. Une fois dépassées la timidité et les petites réticences, chacun s'était abandonné au plaisir d'évoquer cette période si importante pour lui.

« Vulgaire, c'est vraiment le cas de le dire. » Avec une certaine malice, la femme cherchait l'approbation de son mari, en savourant l'effet de sa déclaration sur nous. « Dans l'autobus, vous imaginez, un jour d'été, à une heure de pointe. Un homme, profitant de ce que nous étions complètement serrés, en avait profité pour commencer à me caresser. C'est vrai que c'était un peu de ma faute… », elle l'admettait avec un petit sourire fautif, « c'était l'époque de la mini-jupe, et justement j'en avais une vraiment très courte. Mais enfin, j'étais furieuse et en même temps désespérée. Une jeune fille, qu'est-ce que vous voulez, dans une situation comme ça, est prête à fondre en larmes. D'ailleurs, je crois que c'était ce qui allait m'arriver. Mais, juste à ce moment, j'ai senti un bras se glisser entre moi et l'autre type; malgré le monde, il a réussi à le repousser, et à m'isoler dans un cercle magique de protection. Personne n'avait dit un mot; il n'y avait pas eu de hurlements ni de scandales qui m'auraient fait mourir de honte. Je me suis précipitée dehors à la première station, bien que ce ne fût pas la mienne… »

« Ni la mienne », intervint le mari, souriant à son tour du trouble que l'évocation de ce souvenir avait fini par provoquer chez sa femme. « Un moment, j'ai eu peur de lui paraître moi-même importun… »

« À moi, au contraire. » Elle s'était déjà reprise. « Tout à coup, il m'a semblé tout à fait naturel qu'il soit comme ça à mes côtés. Le bras qui m'avait protégé, vous comprenez, j'étais aux anges de découvrir qu'il appartenait à un beau jeune homme, grand, bien élevé et gentil, juste comme je les aimais. Et voilà ! pour résumer, nous voilà ici tous les deux ! Le plus beau… » elle eut un éclair de malice, « c'est qu'il se demande encore si ce n'est pas de la jalousie anticipée

Eaux-fortes; fin du XVIIIe siècle.

qui l'a fait bouger ce jour-là, ou même s'il n'avait pas simplement envie d'être à la place de l'autre. »

Cette fois, ils riaient franchement l'un et l'autre, et le mari, toujours pudique, rougissait encore plus; elle continua :

« Je me suis souvent dit que bizarrement, et par personne interposée, notre histoire d'amour a commencé avec les mains. »

Sans doute, mais pas si bizarrement que ça. En fait, il y a de fortes raisons de penser que, dans des temps très reculés, l'amour devait probablement se manifester de cette façon. Et d'ailleurs, comment auraient-ils pu faire, nos lointains ancêtres, dans l'obscurité des cavernes, avec ce mélange de bêtes à deux et à quatre pattes, de tous sexes et de tous âges, avec ces fourrures et ces poils divers ? Comment diable auraient-ils pu se trouver, se retrouver, se reconnaître, se mettre d'accord ?

Je le vois d'ici, l'homme des cavernes, au matin, après la nuit où il a fait les premiers travaux d'approche; il est appuyé sur sa massue, satisfait de pouvoir proposer un petit déjeuner à sa nouvelle conquête.

« Merci, je n'ai pas faim », murmure-t-elle. Mais elle ne peut résister à l'envie de lui demander : « Dis-donc, comment tu as fait cette nuit avec tout ce monde pour savoir que c'était moi et pas ma sœur, et pas non plus cette garce de cousine ? »

Et lui, pudique, en bon homme des cavernes :

« Question de tact... »

Et, dans ces temps immémoriaux où se nouaient les légendes, comment a-t-elle fait, Psyché, dans l'obscurité de la chambre, de la nuit profonde, pour deviner le visage, le corps incomparable, les gestes gracieux de l'Amour ? C'est par la seule finesse de ses doigts qu'elle découvrait son adorable amant, jusqu'à cette nuit fatale où elle alluma la lampe, rompant le charme. De ses douces et précises caresses est née l'une des plus belles histoires de tous les temps, qui conserve sur nous un étrange pouvoir.

Dans ces légendes merveilleuses que sont les *Métamorphoses* d'Ovide, Pygmalion, par le toucher, a la révélation du pouvoir des dieux et aussi, tout simplement, de l'amour. Le beau jeune homme, dégoûté des voies des femmes qui l'entourent, décide de s'en abstenir. En même temps, il sculpte dans l'ivoire le plus pur la statue de celle qu'il aurait voulu pour compagne. Ses dons de sculpteur et le violent désir qui l'inspire lui font créer un chef-d'œuvre; mais laissons directement s'exprimer le poète :

« Elle a l'aspect d'une véritable jeune fille; elle semble vivante et marcherait, si elle n'était pas si timide. »

Pygmalion, qui en est follement amoureux, la caresse dévêtue, l'habille, la pare de bijoux pour finir par la mettre nue à nouveau; plein de désir, il court aux fêtes célébrées en l'honneur de Vénus et invoque la déesse pour qu'elle lui donne une femme semblable à la jeune fille d'ivoire.

De retour chez lui, il se précipite auprès de la chère statue et, se penchant sur le lit, l'embrasse. Il lui semble ressentir une certaine chaleur. Il approche de

nouveau la bouche et, de ses mains, palpe sa poitrine. L'ivoire s'amollit, perd de sa dureté et cède sous la pression des doigts, comme la cire qui, au soleil, devient malléable et qui se laisse modeler sous la pression du pouce. Stupéfait et transporté de bonheur, il craint de se tromper ou de délirer; il touche et touche encore la statue qu'il adore, son propre rêve, et il se rend à l'évidence : c'est un véritable corps et il sent battre les artères sous la peau.

Les gens heureux, on le sait, n'ont pas d'histoire, et c'est sur cet épisode que se conclut celle des deux amants. Mais de leurs amours naît Paphos, qui a donné son nom à l'île et qui fut la mère de Cinyras, dont le poète parle en ces termes : « Il aurait pu se compter au nombre des heureux s'il n'avait pas eu d'enfants. »

Cependant, Cinyras a eu une fille, très belle, qui s'appelait Mirrha, et autour d'eux s'est tissée une autre légende, une des plus sombres de toutes, cette fois encore dans l'obscurité d'une chambre, où l'amour se montre implacable. Mirrha était convoitée par de nombreux partis, parmi les plus riches, mais elle les refusait tous; désemparé, son père lui demandait comment devrait être un mari pour lui convenir, et elle ne savait répondre que « Tout comme toi ».

Elle n'aurait pu être plus sincère. Désespérée de cet amour fou qui la possédait tout entière, elle tenta de se pendre. Mais sa nourrice, qui l'adorait, réussit à l'en empêcher; elle lui fit avouer son secret et lui promit, pourvu qu'elle veuille vivre, de la contenter. Ainsi, nuit après nuit, Cinyras l'a possédée, ignorant qui était cette vierge que la vieille nourrice lui avait procurée. La nuit où il décida de la voir, et où il découvrit que c'était sa fille, il voulut la tuer. Mirrha cependant réussit à s'enfuir et à sauver le fils qu'elle portait alors en elle. Elle sera par la suite changée en une plante, la myrrhe. Son fils ne sera pas un monstre, mais tout au contraire le plus beau des hommes, Adonis, qui inspirera même de l'amour à Vénus. Cependant, ceci est une autre histoire. Mais arrêtons-nous dans cette chambre obscure où encore une fois, follement et de manière impie, l'amour s'est avancé à tâtons. Le poète n'a pas hésité à nous guider, à nous faire les témoins de cette scène tragique. D'une autre manière, et à quelques siècles de distance, un autre poète illustre a raconté, en peu de vers et avec pudeur, une rencontre d'amour dans l'obscurité. Ce poète, c'est Heinrich Heine :

> *Dans l'obscurité de la chaise de poste*
> *Où nous voyagions, seuls, tous les deux,*
> *L'un près de l'autre, cœur à cœur,*
> *Nous avions reposé, ri, et plaisanté.*
> *Mais aux premières lueurs de l'aube,*
> *Ma douce, quelle surprise !*
> *Passager aux yeux bandés,*
> *Entre nous se tenait l'Amour.*

La tentation est forte, évidemment, de nous attarder à cette belle matinée, alors que les deux heureux amants s'éloignent, comme dans un lied de

Schubert, au son du crépitement des sabots des chevaux, du grincement des roues et du tintement des grelots de la diligence. Mais un autre poète nous appelle, plus proche de nous encore, qui en un seul vers, parfaitement beau, a su donner une expression à cette manifestation particulière de l'amour qui nous occupe. Il s'agit de Jean Cocteau, qui a pris prétexte de l'histoire de Renaud et d'Armide pour donner, entre les deux guerres, un spectacle fastueux, avec une débauche d'étoffes précieuses, d'armures resplendissantes, sous les frondaisons d'une végétation empruntant beaucoup aux tapisseries médiévales. Les acteurs, très jeunes, très beaux et très courageux, ont eu du mal à porter tout le poids d'un tel appareil scénique, selon les critiques de l'époque, qui auraient souhaité un souffle de vent authentique, le miracle d'un véritable brin d'herbe et des fleurs fraîches. La Seconde Guerre mondiale a balayé ces réserves en même temps que la pièce elle-même, aujourd'hui bien oubliée. À tort. Le miracle résidait, à notre avis, dans le cri d'Armide au moment où elle devait se séparer, pour toujours, de son amant. Je me le rappelle encore, et je n'ai jamais cessé de l'entendre : « Laisse mes mains par cœur apprendre ton visage. »

Les poètes ainsi nous emmènent bien loin. Ils nous montrent les mains des amants marquées de singuliers stigmates et leur tourment tissé des fils du souvenir du temps où s'épanouissait la fleur fragile et vive de leur amour. C'est que le toucher est un sens qui renvoie à l'intériorité, sans doute le plus secret, le plus inavouable presque des sens, et comme tel le sens qui appartient aux poètes.

Mais ne terminons pas ces quelques lignes sans évoquer l'étonnante figure du comte Roger de Bussy-Rabutin, lieutenant-général dans les troupes de Louis XIV. Réputé impétueux, fanfaron et brutal, il s'est rendu célèbre par une chronique scandaleuse de la meilleure eau, l'*Histoire amoureuse des Gaules*.

Dans les jardins du Grand Prieuré du Temple (alors récemment construit), à Paris, il avait donné une grande fête nocturne en l'honneur de sa cousine, Madame de Sévigné. Cent violons y avaient joué une tendre musique, sous la clarté de cent chandeliers de cristal. Et le comte rapporte que ceux qui ne participaient pas à la danse se promenaient avec leurs amantes dans les allées obscures, où ils se touchaient sans se voir.

Il ne s'agit là que d'une allusion, et la littérature moderne nous a appris bien d'autres audaces; cependant, comment ne pas tressaillir à une telle évocation, comment ne pas envier les participants à cette soirée ?

C'était dans la douce obscurité cette fois encore, parmi les senteurs et les masses sombres du jardin du Grand Prieuré, sous le feuillage que ne pénétrait pas la lumière des chandelles. Cette fois encore, des mains tâtonnaient, caressaient, pour reconnaître les traits lisses d'un visage ou les formes, parfois rondes et douces, parfois fines et musculeuses, mais toujours chaudes des corps mystérieux sous la soie des riches vêtements. Il aurait pu en naître une légende, colorée et vivante dans la mémoire des siècles, mais les jeux de la nuit étaient destinés à s'évanouir pour toujours, aux premières lueurs de l'aube. En effet, ce n'est pas cette fois à un poète que nous devons le récit de ces scènes charmantes. C'est simplement à un libertin. Et ce n'est pas si mal.

Pour ce qui concerne les choses de l'amour, le toucher est peut-être le sens le plus important. Il joue en effet un rôle essentiel en mille occasions et permet aux amants — ou aux amoureux — d'exprimer leur sentiment, leur passion ou leur ardeur : c'est la main qui effleure à peine la peau qui frissonne, ou qui lentement caresse, c'est le geste qui invite ou qui impose selon l'humeur et l'heure, selon la tonalité d'un désir tendre et lascif, ou impétueux et violent ; et c'est aussi le geste, la fougue de l'enlacement et du baiser, l'intensité de la pénétration, la tendresse et la douceur du contact ; c'est tout un langage sensuel, immédiat, libre et intarissable, irrépressible et conscient.

L'enfant qui caresse le sein qui le nourrit éprouve, lui aussi, ce même plaisir de toucher, et c'est une semblable jouissance, apaisante, qu'il goûte le soir en s'endormant près d'un ours en peluche démantibulé ou contre une vieille étoffe de fourrure. C'est le même délice, mais plus conscient, que ressent l'amant en caressant les vagues ondoyantes, pleines d'ombre ou de lumière, d'une chevelure interminable et somptueuse, comme celle, dorée et sensuelle entre toutes, dont se drape la fameuse *Sainte Madeleine* du Titien (du palais Pitti, à Florence) : la femme splendide représentée par le célèbre Vénitien tient ses cheveux à pleines mains, et les doigts nous démangent d'y toucher aussi. La mode des cheveux courts n'a pas supprimé cette jouissance : elle l'a rendue plus rare, ou différente, plus ambiguë — mais non moins excitante ! Que dire du plaisir, délicieux entre tous, du corps qui s'abandonne,

les yeux fermés, à la main qui l'explore, d'abord hésitante, puis savante et audacieuse ? Mais le trouble le plus violent, et l'excitation la plus forte, nous viennent peut-être du contact, à la fois discret et insistant, d'une jambe mystérieuse contre notre jambe, dans l'obscurité d'une salle de cinéma, plus propice à l'aventure que toutes les mers du globe ! Attouchement involontaire ? Avance délibérée ? C'est l'ambiguïté même du contact qui coupe le souffle ! D'ailleurs, cette ambiguïté du plaisir de toucher est aussi dans la main qui pince, qui contraint, qui frappe, qui châtie, qui humilie… et elle est également, on le sait, dans celui du corps pincé, contraint, châtié et humilié. Est-ce là un véritable plaisir ou une jouissance pathologique ? La réponse n'est évidemment pas simple, pour autant que la question puisse être ainsi formulée. Ce bonheur dans les coups a été immortalisé par Sacher Masoch dans sa *Vénus à la fourrure* (inspirée par le tableau du Titien, *La Toilette de Vénus*, actuellement à Washington), et exprimé par des phrases célèbres : « Les coups pleuvent, rapides, et cinglent mon dos et mes bras. L'un d'eux entaille ma chair, provoquant une brûlante douleur qui ne me quitte pas. Mais les souffrances me ravissent, car c'est elle qui me les donne… »

Il est certain en tout cas qu'entre d'un côté l'excès et la déviance, et de l'autre la sensualité et la satisfaction sexuelle les plus communes, la cloison est fort mince. Une réflexion sur les manifestations du toucher ne peut pas ne pas nous conduire à ces régions brûlantes, à ces pulsions profondes que révèlent une réplique, un geste,

une manière particulière de s'habiller ou de décorer un intérieur. Il suffit, pour s'en convaincre, de pénétrer dans certaines chambres, dans certaines garçonnières pour découvrir des indices, une ambiance qui nous met sur le chemin de tout ce que peut représenter le plaisir qu'on peut tirer du sens du toucher, sous ses multiples manifestations. La main qui saisit un sexe, qui s'insinue dans une cavité plus secrète encore d'un corps, ou qui même tremble un peu en pénétrant dans un gant ou en s'attardant sur une fourrure — la main révèle la vérité d'une sexualité. Chaque homme qui touche, qui caresse, qui palpe, est en quelque sorte un artiste qui crée de ses mains un objet d'amour, comme Pygmalion sa statue adorée. Chaque femme qui cède, qui se cabre, qui s'étire sous un geste d'amour, sous le poids même d'un corps qui l'écrase, est la réincarnation d'une antique déesse, digne objet d'un véritable culte d'amour et de passion. À chaque fois qu'il s'exprime et se manifeste dans toute sa puissance, le toucher est une expression de la sensualité qui réunit et rassemble — en les dépassant — tous les autres sens.

Gravure coloriée au pochoir; vers 1917.

Certaines, au lieu de jardin, de potager, / N'ont qu'un minuscule petit jardinet; / C'est que trop tendre encore est leur âge, / Ou que leur père est trop avare; / Il faut alors qu'il soit prudent le jardinier, / Car on ne doit pas les traiter de même : / Sur ceux-là l'homme peut faire à sa guise, / Sur ceux-ci les égards sont de mise. La main qui doit soigner le petit jardinet / Peut y semer sans doute, mais non pas y planter; / L'arrosage, lui, peut être généreux / Car la terre encore n'en boit pas une goutte. / On y

doit point manier la bêche ou la pioche, / Mais simplement remuer, légèrement, le piochon, / Afin que de la terre il morde un peu les joues, / Sans pourtant faire entrer le fer à l'intérieur.
Luigi Tansillo

Photographie; début du XXᵉ siècle.

Fac-similé d'une silhouette tirée du recueil *Er und Sie*; Vienne, vers 1922.

Les images rendent ici à merveille l'ambiguïté des situations, plus que ne pourraient le faire les mots. Le photographe a utilisé l'euphémisme en plaçant un paon,

roi des oiseaux, sous les caresses de la femme. Les ombres chinoises sont évidemment le véhicule idéal de l'ambiguïté des objets et des êtres : s'agit-il d'une discussion amoureuse au clair de lune, ou d'une aventure déjà bien avancée ? Qu'effleurent les mains des personnages : la garde d'une épée, un ruban du corsage, ou des parties plus intimes de leur anatomie ?

Lend, lend your hand ! I mount ! I die
O prick, how great thy victory !
O pleasure, sweet thy stings.

(Donne, donne ta main ! Je viens ! Je meurs !
Ô vit, quelle victoire est la tienne !
Ô plaisir, douces sont tes piqûres.)
Pego Borewell

Aquarelles françaises de l'époque napoléonienne.

Les bouillants officiers de Napoléon ne craignaient pas d'envoyer leurs mains en reconnaissance, même quand le territoire n'était pas ennemi. Il pourrait évidemment s'agir d'un médecin militaire chargé d'examiner la bonne santé des dames de la cour... mais il est plus probable qu'il s'agisse de l'initiative individuelle d'un combattant plein d'ardeur guerrière, soucieux de se distinguer par des actes d'héroïsme.

Même un Kléber, d'après la culotte qui ment
Peut-être un peu, n'a pas dû manquer de
[*ressource.*

A. Rimbaud

I sonde la profondeur de l'abyme de Venus.

J'examine les prérogatives féminines des Dames de la Capitale.

Gravure d'A. von Bayros.

L'une se trouva saisie et accommodée d'un gros godemichet entre les jambes, si gentiment attaché avec de petites bandelettes autour du corps, qu'il semblait un membre naturel.
Brantôme

Il ne reste plus rien du bien de mon partage
Qu'un seul godemiché, c'est tout mon héritage.
Théophile

On utilise également divers corps étrangers, comme des membres virils artificiels faits, pour les plus modestes, de couenne de lard (Schrenk-Notzing) ou fabriqués avec plus ou moins de luxe jusqu'à imiter parfaitement la perfection anatomique. Mirabeau parle de ce type d'instruments parfaits dans son roman, Le Rideau levé.
Ferdinando De Napoli

Dessin anonyme à la sanguine; début du XXᵉ siècle.

Très souvent, les auteurs de dessins éroti-ques concentrent l'intérêt sur un seul personnage — le plus excitant. C'est ici la très belle jeune fille, au visage attentif, tout entière au plaisir des sensations que lui procure la main de l'homme, qui lui-même est à peine ébauché. Mais c'est aussi que, pour la belle enfant, cette main est pour l'heure la seule partie digne d'intérêt de son compagnon.

Il prit ma main et me la promena sur le ventre de Lucette, sur ses cuisses. Sa peau était d'un velouté charmant; il me la porta sur son poil, sur sa motte, sur sa fente : j'appris bientôt le nom de toutes ces parties. Je mis mon doigt où je jugeai bien que je lui ferais plaisir. Je sentis dans cet endroit quelque chose de dur et gonflé.
Mirabeau

Toucher : pareil à une chaîne, notre amour sera éternel. Carte postale en couleurs de E. Anichini.

Lithographie anonyme de la série *La Belle et le petit singe*; 1917.

Awake my Fanny ! leave all meaner things. / This morn shall prove what rapture swiving brings ! / Let us (since life can little more supply / Than just a few good fucks, and then we die) / Expatiate free…

(*Réveille-toi ma Fanny ! dédaigne ces choses futiles; / Ce matin va te montrer le ravissement que l'on éprouve à copuler ! / Faisons-le (puisque la vie ne nous apporte / Que quelques bonnes baises, avant la mort) / En toute liberté…*)
Pego Borewell

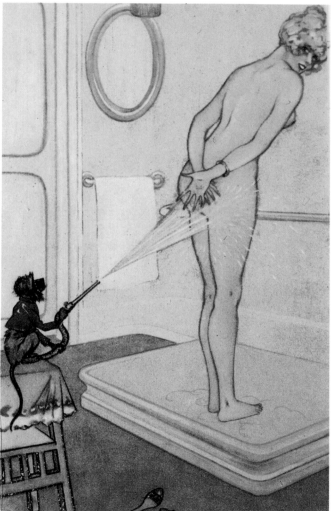

N'ayant encore rien trouvé, je continue à chercher, et comme la bague était sûrement sur elle, il fallait bien que je trouvasse. Le lecteur devine sans doute que je me doutais de la cachette charmante où la belle l'avait placée; mais avant d'en arriver là, je voulais me procurer beaucoup de réjouissances que je savourais avec délices. C'est entre les deux plus beaux gardiens jamais arrondis par la nature que la bague finit par être trouvée; mais j'étais si ému en la prenant que ma main tremblait visiblement.
G. Casanova

Lithographie anonyme en couleurs de la série *La Belle et le petit singe*; 1917.

Le singe ne perd pas des yeux
La gorge blanche de la dame,
Opulent trésor que réclame
Le torse nu de l'un des dieux.
Paul Verlaine

Un jet d'eau plus ou moins fort, une plume très légère, une brosse rêche, une éponge imbibée d'eau très chaude — les objets sont nombreux qui peuvent relayer la main pour toucher, caresser, fouiller le corps aimé. Le plaisir n'est peut-être pas moins intense pour celui qui agit que pour l'autre. La salle de bains est évidemment le lieu privilégié de telles caresses, où l'on mêle la toilette aux attouchements.

Gravure d'A. von Bayros.

Je lui fis de nombreuses ablutions dans tous les sens et dans toutes les positions, car elle se montrait parfaitement docile; mais, ce faisant, je craignais de me trahir et je souffrais plus que je ne jouissais, et mes mains indiscrètes, courant sur toutes les parties de son corps, et s'attardant plus souvent et plus longtemps en un certain endroit particulièrement irritable, la pauvre fille se trouvait agitée d'un feu qui la brûlait, mais qui se calma par cette irritation même.
G. Casanova

Carte postale en couleurs signée
A. Mauzan; début du XXᵉ siècle.

Dessin original à la plume, anonyme.

Dans la rue.

*Ne vous faites jamais fourrer une lance
d'arrosage dans les parties naturelles. Ces
instruments-là éjaculent trop fort pour votre
petite capacité.*
P. Louÿs

À la mer.

*Autant que possible, ne vous enfermez pas avec
un monsieur dans votre cabine de bain. Entrez-
y plutôt avec une jeune fille, qui vous fera
minette aussi bien, si ce n'est pas mieux, et ne
vous compromettra pas.*
P. Louÿs

Gravure originale, à la pointe sèche, de Félix Meseck. Publiée sans nom d'éditeur; vers 1925.

A Pannico, de sa femme Gellia.

Pourquoi ta Gellia / Aime tant les eunuques, / Tu veux savoir, Pannico ? / Gellia adore jouir, / Mais non pas accoucher.

Au milieu : carte postale italienne à thème anticlérical; début du XXe siècle.

Un prêtre avait, au bout du vit, / Un gros furoncle qu'il fallait crever; / Une bonne âme lui enseigna qu'il devait / La tremper dans l'eau chaude d'un con; / Il la mit dans le con de l'aimable Julie, / Sa commère, non pas pour s'amuser, / Mais pour ne plus sentir de douleur à son vit. / A-t-il fait là une injure à saint Jean ?
L'Arétin

Dessin anonyme au crayon; début du XXe siècle.

C'est avec tant d'aisance que je pioche, / Que jamais de ma bouche ne s'envole un soupir; / D'abord, la faux en main, je dénude la terre, / Puis, dans son giron, je m'enfonce, joyeux, / Et de tout mon corps je la recouvre, / Enfonçant en son sein ma solide pioche; / Elle creuse, et ne cesse de fouiller le sol / Jusqu'à ce que ma sueur rende mou le sillon.
Luigi Tansillo

Dessin anonyme au crayon; début du XXᵉ siècle.

Version érotique d'un thème classique dont une fable du XVIIIᵉ siècle nous a heureusement gratifiés. Il s'agit de la Belle et la Bête. Cette fois encore, l'artiste a concentré toute son attention sur l'émotion contenue dans le visage de la toute jeune fille. La Bête est un peu plus dans l'ombre, mais chacun peut s'y identifier sans trop de problèmes, dans la mesure où la Belle finit par aimer la Bête. Notons également que de nombreux textes et illustrations érotiques sont fortement empreints d'un anticléricalisme plutôt jovial et bon enfant. Ce thème du moine paillard remonte fort loin dans le temps, et il est largement illustré par Rabelais, sans parler du XVIIIᵉ siècle qui en fera un de ses sujets favoris.

Dessin original, au crayon. Anonyme,
signature indéchiffrable; 1927.

Dessin original au crayon; anonyme;
début du XXᵉ siècle.

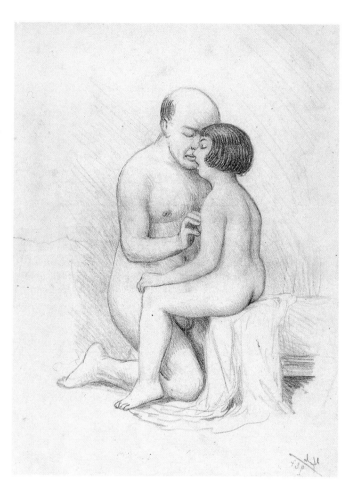

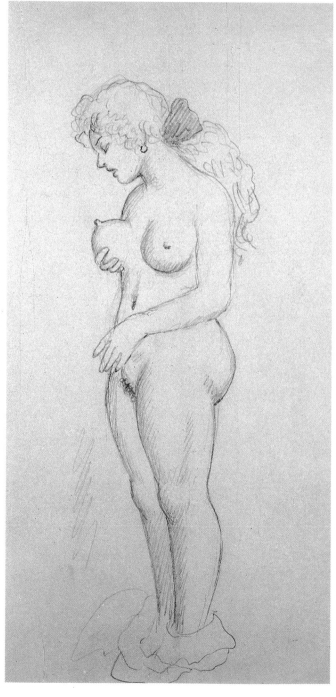

Accostage. Dessin original à la plume;
anonyme; début du XXe siècle.

Gravure originale de Suzanne Ballivet;
années 30.

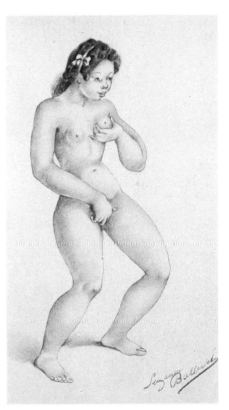

APROCHEMENTS.

La poitrine est l'une des principales zones
érogènes de la femme, qu'elle soit maniée
par un partenaire ou encore par elle-
même, dans une tentative d'atteindre à la
pointe avec les lèvres, ce qui exige une
certaine souplesse de la nuque! Les
hommes se sont, pour leur part, montrés
enthousiastes, et l'on a vu fleurir les
textes littéraires en l'honneur de ces doux
objets. C'est ainsi que l'on peut lire
l'*Histoire des seins de la femme*, de Mercier
de Compiègne; cette œuvre débat de
plusieurs questions: peut-on laisser la
poitrine découverte, est-il permis de la
toucher, quelles sont ses vertus, ses
formes, son langage (sic!), son éloquence
(sic!), en quel pays est-elle la plus belle et
comment peut-on la conserver?

En bas : cartes postales du musée de Cluny ; début du XXᵉ siècle.

Frontispice de la boîte d'une série de cartes intitulée *La Ceinture*. Dessin de Malatesta ; début du XXᵉ siècle.

Ce n'était pas tout de s'embarquer vaillamment pour les croisades, encore fallait-il protéger son bien le plus précieux contre l'ennemi de l'intérieur qui risquait de mettre la main dessus (encore, s'il ne se fût agi que de la main…). Les ceintures de chasteté avaient tout d'un instrument de torture, et elles empêchaient non seulement les malheureuses épouses d'avoir des relations normales avec leurs amis, mais aussi de se livrer elles-mêmes au plus innocent des plaisirs. Elles encourageaient donc les plaisirs « contre nature ». Fort heureusement, elles furent très peu utilisées. Cependant, au début de ce siècle, lors de la vague de moralisme qui frappa l'Europe, on a vu réapparaître quelques ceintures en France et en Allemagne. Certains spécialistes, parmi les plus judicieux, estiment que l'excitation et la rage rentrées des femmes qui en furent victimes ont été une des principales causes de la Grande Guerre.

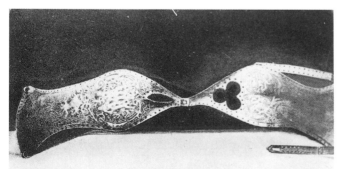

326 PARIS - Musée de Cluny - Ceinture de Chasteté - Epoque du Moyen-Age *LIP*
(Chute de l'Empire Romain 475 jusqu'à la prise de Constantinople par les Turcs en 1453) - Instrument barbare employé à cette époque par les chevaliers jaloux, voulant avoir un gage certain de la fidélité de leurs épouses durant leur absence pour de longues guerres…
Cluny Museum - Belt of chastity - Barbarous instrument employed in the Middle-Age Period (475 to 1453) by the jealous Knights, who where absent duringt long periods of war, in order to be certain of the fidelity of their épouses.

4372. PARIS – Musée de Cluny - Ceinture de Chasteté
L'Origine probable de cette curiosité d'un autre âge demeure un problème. Dans l'antiquité on revêtait l'épousée d'une ceinture tissée de la laine d'une brebis sans tache, ceinture que l'époux dénouait au soir des noces. Nous pensons que de la jalousie d'un maître naquit au moyen âge cet instrument barbare plutôt que de la tradition poétique des Anciens.

Reproduction oléographique d'une illustration de type médiéval; fin du XIXe siècle.

Carte postale humoristique en couleurs sur le thème de la ceinture de chasteté; fin du XIXe siècle.

La ceinture, seulement, me prenait juste la taille, et avait des courroies semblables au caleçon, qui passaient par-dessus mes épaules, et qui étaient assemblées en haut par une traverse pareille, qui tenait de l'une à l'autre. On pouvait élargir tout cet assemblage autant qu'on le jugeait à propos. La ceinture était ouverte par-devant, en prolongeant de plus de quatre doigts au-dessous. Le long de cette ouverture, il y avait des œillets des deux côtés, dans lesquels mon père passa une petite chaîne de vermeil délicatement travaillée, qu'il ferma d'une serrure à secret.
Mirabeau

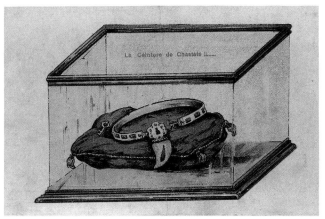

La Réparation. Carte postale italienne; début du XXᵉ siècle.

L'Anémie. Carte postale glacée; années 20.

Ces deux illustrations populaires montrent des jeunes filles dans des situations difficiles, même si elles n'ont pas l'air d'en souffrir outre mesure. Le pucelage réparé est un vieux thème grivois et les systèmes sont fort divers, celui-ci étant le plus cruel. La piqûre exprime aussi des tendances sadiques que l'on trouve fréquemment dans les cartes postales à sujets érotiques.

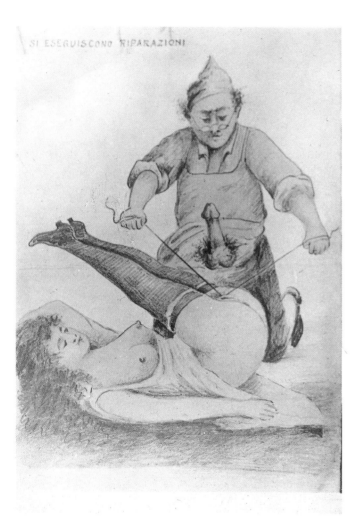

Gravure française originale en couleurs; début du XXᵉ siècle.

Petit balai
Je nettoyai le trou
Voilà qu'un jeune fou
Par-derrière me pince la taille
Le balai tombe au fond
Laissez mon jupon
Au même instant j'ajoute Monsieur Aïe!

Aïe!
Ah! Comme c'est bon
Monsieur je fonds
Ne sentez-vous pas le balai dans le trou
Un balai de chiendent
Qui est dedans...
Guillaume Apollinaire

Carte postale reproduisant un tableau à l'huile, *Die Schaukel,* de F. von Stuck; début du XXe siècle.

Nous savons tous (au moins pour avoir joué « au docteur » ou au « papa et à la maman ») que les jeux d'enfants sont très souvent ambigus. Pour leur bonheur, ces deux jeunes filles l'ont découvert aussi. Éprouver de tels flots de plaisir en montant simplement, à cru, un vieux tronc placé sur une souche, qui l'eût cru ?

Carte postale italienne; fin du XIXe siècle.

Audace contrôlée d'une carte postale d'une station de bains de mer, destinée à être envoyée normalement, sans même la protection d'une enveloppe, à la fin du siècle dernier. Heureusement pour la morale publique, la partie réservée à la correspondance vient fort à propos dissimuler le trouble du serviable estivant qui répare « sur le vif » le costume de bain à rayures de la jeune et jolie baigneuse.

Gravure française originale en couleurs; anonyme; début du XXe siècle.

Par Vénus statuaire, on entend les amours et les rapports sexuels avec des statues ou des images. Le pygmalionisme est proche de la forme précédente dans la mesure où les psychopathes aiment les statues, mais ils veulent en outre les faire exister, comme dans la légende de Pygmalion et de Galatée. Bloch, qui parle de ces déviations, dit que ce sont surtout de vieux libertins qui s'y livrent, et il se réfère à Canler qui a observé, dans un bordel de Paris spécialisé, trois prostituées jouant les rôles de Vénus, de Junon et de Minerve. Les psychopathes se prosternaient aux pieds des fausses statues et priaient afin qu'elles ressuscitent peu à peu pour pouvoir enfin en jouir.
Ferdinando De Napoli

Carte postale; début du XXe siècle.

Au musée.

Ne grimpez pas sur les socles des statues antiques pour vous servir de leur organes virils. Il ne faut pas toucher aux objets exposés; ni avec la main, ni avec le cul.
Pierre Louÿs

.... Il proiettil su tornita
Giorno e notte la mia mano,
Perché possa andar lontano
Il nemico a... salutar !

En haut : carte postale en couleurs, signée Milliere; début du XXe siècle.

En bas : aquarelle anonyme originale; début du XXe siècle.

Embarquement pour Cythère d'un chevalier du XVIIIe siècle; les deux matelots lui accordent tous leurs soins et semblent très experts au maniement de son gouvernail;

ils se sont mis à l'aise pour vaquer aux occupations du bord (gardant cependant leurs bas), et ont découvert une nouvelle façon de tenir les avirons, qui paraît leur donner toute satisfaction. Ces charmantes navigatrices ont plus de chance que la jeune fille qui s'amuse toute seule avec son bilboquet, ou que l'ouvrier (page suivante) puni par où il a péché par une volaille rigoriste.

En bateau.

L'étoile du berger tremblote
Dans l'eau plus noire, et le pilote
Cherche un briquet dans sa culotte.

C'est l'instant, Messieurs, ou jamais,
D'être audacieux, et je mets
Mes deux mains partout désormais !
Paul Verlaine

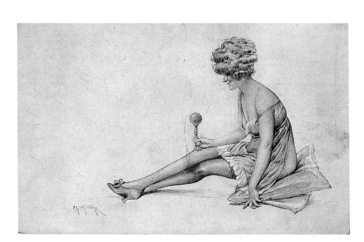

Dessin populaire caricatural, signé P.R.;
début du XXᵉ siècle.

La Meilleur est à venir! Carte postale humoristique italienne; anonyme; années 30.

Question X

Sur le vit dressé de frère Carlo / Tomba du balcon sœur Margherita, / Ça lui rompit le cul et lui sauva la vie. / Devait-elle donc se plaindre ou remercier?

Réponse X

Si dans sa chute sœur Margherita / N'avait donné du cul sur le vit de frère Carlo, / Elle en mourait, certainement; d'où elle doit / Le remercier si de son vit il lui sauva la vie.
L'Arétin

Aquarelle originale; anonyme; début du XXᵉ siècle.

Il bello viene adesso...

Dessin anonyme, au crayon; début du
XXᵉ siècle.

Gravure originale du XIXᵉ siècle, tirée
d'un recueil de littérature érotique.

En mettant à profit la petite industrie
D'un Esprit las d'attendre et d'un Con mal
                                                    [foutu,
Dans une douce rêverie
Son joli petit Corps ramassé, nu, tout nu,
Tantôt sur le duvet d'une molle bergère,
Avec un certain doigt, le Portier de l'Amour,
Se délassoit la nuit des contraintes du jour;
Et brûlait son Encens pour le Dieu de Cythère :
Tantôt mourant d'ennui au milieu d'un beau
                                                    [jour,
Elle se trémoussoit toute seule en sa couche;
Ses tétons palpitants, ses beaux jeux, et sa
                                                    [bouche
Doucement haletante, entrouverte à demi,
Sembloit d'un fier fouteur inviter le défi.
Anonyme

Dessin à la plume et à l'aquarelle, de Cesare Peverelli, 1966.

Face à face, comme ils étaient, il se réveilla, / Celui qui d'abord dormait, mélancolique, / Et avec superbe, dressant la crête, / Il se mit à frapper la porte furieusement.
Boccace

Lithographie tirée des *Mémoires d'une chanteuse*; Paris, 1933.

Le plaisir de me revoir l'enflamma; il passa la main par-dessous le rideau qui nous séparait, me tâta ma gorge, et ne voulut jamais que je sortisse avant de l'avoir branlé.
Le Boudoir d'Amaranthe ou Les Nouveaux Plaisirs de l'Isle de Cythère; Paris, 1803

Aquarelle originale; anonyme, début du XXe siècle.

En deux mots, « sans danger ! », l'auteur de cette remarquable aquarelle réussit à exprimer l'essentiel : ces deux ingénieux jeunes gens montrent une louable application pour réussir, en ne renonçant à presque rien, à atteindre le dernier bien du plaisir réciproque sans courir aucun risque.

Quel tableau, cher abbé, deux amants dans
                                  [l'ivresse
Savourant de l'amour le prix et la tendresse !
Le Courrier extraordinaire des fouteurs

SAN DANGER

En haut: photographie du début du XXᵉ siècle.

À droite: aquarelle anonyme; début du XXᵉ siècle.

Foutre en tétons.

Décharger sur la gorge d'une femme qui, au préalable, a ramené ses deux tétons vers le milieu de sa poitrine, de manière à presser, aussi doucement qu'avec les lèvres de son con, la pine qu'elle a mission de faire jouir. Cette façon d'aller au bonheur, comme toutes les autres artificielles, n'a de charmes que pour celui qui fout et non pour celle qui est foutue.
Alfred Delvau

*Celui-ci fout en cul, celui-là en aisselle,
Un troisième en tétons…*
Louis Protat

Aquarelle anonyme; début du XXe siècle.

Lesbos, que Baudelaire nomme « Mère des jeux latins et des voluptés grecques », est aujourd'hui encore le lieu privilégié de voyage pour les couples de femmes qui préfèrent, pour un temps ou définitivement, la douceur des savantes caresses à la brutale pénétration d'un partenaire masculin. C'est du mouvement de leurs cuisses que leur vient le nom de tribades, d'un terme grec qui veut dire frotter, ou froisser.

Lesbos, terre des nuits chaudes et langoureuses, / Qui font qu'à leurs miroirs, stériles voluptés ! / Les filles aux yeux creux, de leurs corps amoureuses / Caressent les fruits mûrs de leur nubilité; / Lesbos, terre des nuits chaudes et langoureuses…
Charles Baudelaire

Aquarelle française; anonyme,
XIXe siècle.

Dessin anonyme, en couleurs; début du
XXe siècle.

*Shove her down on the bed, or up against the
wall, / Shove her backwards, forwards, or any
way at all.*
*(Fourre-lui sur le lit, debout contre le mur, /
Fourre-lui par-devant, par-derrière, et de toutes
les façons.)*
Anonyme

*Jacques. — Le fait est qu'elle était fort
déshabillée, et que je l'étais beaucoup aussi; le
fait est que j'avais toujours la main où il n'y
avait rien chez elle, et qu'elle avait placé sa
main où cela n'était pas tout à fait de même
chez moi; le fait est que je me trouvais sous elle,
et par conséquent elle sur moi. Le fait est que ne
la soulageant d'aucune fatigue, il fallait bien
qu'elle la prît tout entière; le fait est qu'elle se
livrait à mon instruction de si bon cœur, qu'il
vint un instant où je crus qu'elle en mourrait.*

*Le fait est qu'aussi troublé qu'elle, et ne sachant
ce que je disais, je m'écriai : « Ah ! dame
Suzanne, que vous me faites aise ! »*
Diderot

Gravure française en couleurs; fin du XIXᵉ siècle.

En levrette est encore un moyen fort joli
Quand on a sous son ventre un cul ferme et
[poli;
C'est pour faire un enfant une bonne recette
Qui fut, dit-on, donnée à Marie-Antoinette.
L. Protat

Marie se colle à mon ventre
Et pour que tout mon vit entre
Jusques au fin fond de l'antre
Enflammé par Cupidon,
Elle fait la crapaudine.
Vraiment, cette libertine,
Si je n'étais qu'une pine,
M'engloutirait dans son con.
J. Choux

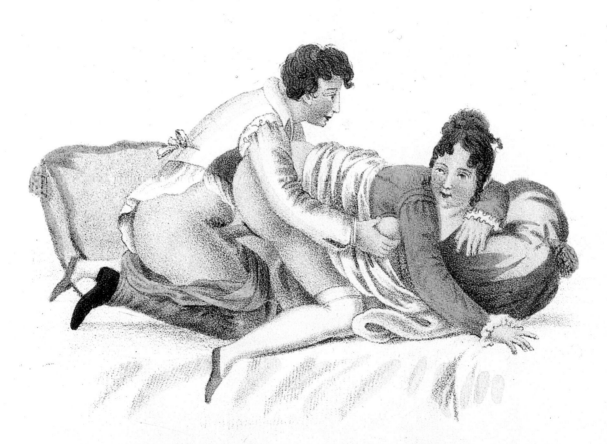

L'HEUREUX CALCUL.

Quand par derrière ainsi, doux amie, tu le pousses,
Je gagne, j'en réponds, pour le moins deux grands pouces.
Entre tout..... qu'en entier je puisse le saisir:
Une ligne de plus.... c'est un pied de plaisir !

Paris.

Xylographie d'Heinrich Major, de la série *Vieni con me, tesorino*; années 30.

Gravure française en couleurs; fin du XIXe siècle.

On trouve parfois des gens si impatients / De vite finir, qu'ils ne piochent pas bien; / Et à peine ont-ils pénétré dans le sol / Qu'ils voudraient que le fer s'enfonçât jusqu'au bout : / Mais les pioches glissent dans les terres lourdes. / Ce qu'il faut, c'est souvent les fourbir : / Et, pour être certain d'obtenir des fruits, / Il faut que le sol, quand on pioche, soit sec.
Luigi Tansillo

LA VICTOIRE D'AMOUR.

Enfin, après l'assaut, Amour je te rends grâce !
Je puis donc par la brèche, entrer dedans la place :
La victoire m'attend, et je vais la saisir....
Qu'ai je dit ? je batteins !.... quel butin de plaisir !

Paris.

Aquarelle originale; anonyme, début du XXᵉ siècle.

Les participants aux orgies cherchent souvent à augmenter leur plaisir en corsant l'érotisme par le biais de positions inaccoutumées. Le dessinateur cherche donc à multiplier le nombre de personnages et à les placer dans un enchevêtrement inextricable, parfois dans des postures impossibles. On peut citer, à ce propos, l'œuvre du poète vénitien Lorenzo Veniero, *La Zaffetta*; l'héroïne est un personnage qui a réellement existé, une certaine Angela, dont l'auteur cherche sans doute à se venger. En huitains (strophes de huit vers) bien tournés, le poète raconte comment il a été l'amant officiel de la belle qui le fit cocu; feignant de ne rien savoir, il l'invita à faire avec lui une promenade jusqu'à la Chioggia. Arrivée là, la belle infidèle a été contrainte de subir les assauts de toute une bande de brutes et de pêcheurs de l'endroit.

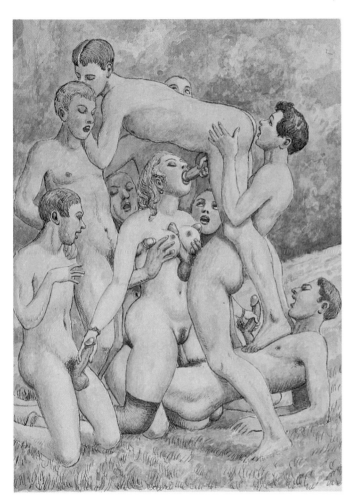

Eau-forte; vers 1771.

Frontispice d'une œuvre érotique attribuée par le bibliographe Rive à Pierre-François Hugues, dit d'Hancarville, historien d'art mort à Padoue en 1805. L'œuvre en question, qui porte le (faux) lieu d'édition de Lugduni-Batavorum, sans indication de date, aurait été, en fait, imprimée à Naples vers 1771. D'Hancarville avait eu la possibilité d'utiliser tout les documents du Cabinet national des médailles de Rome, et ceux du Musée royal de Naples. Il a pu ainsi répertorier toutes les positions érotiques par lesquelles se manifeste le plaisir du toucher. On a de sérieuses raisons de penser que, ne jugeant pas suffisante l'extraordinaire documentation à sa disposition, il n'a pas hésité à ajouter des positions inventées par lui, afin que son œuvre ait un caractère universel dans son domaine propre.

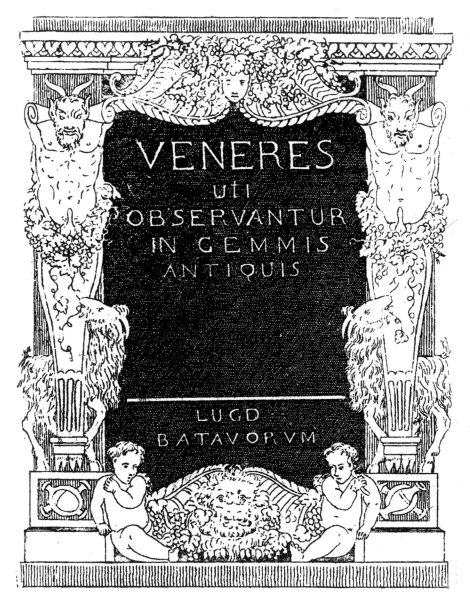

Rapports particuliers. Détrempe sur papier
de Dimitri Plescan.

*Matrons of Rome, held ye yourselves disgraced
In yieldling to you husbands' wayward taste ?
Ah, no ! — By tender complaisance ye reign'd :
No wife of wounded modesty complained.*

*(Matrones de Rome, vous considériez-vous
déshonorées / De vous soumettre au désir
capricieux de vos époux ? / Ah non ! — Vous
régniez par une tendre complaisance, / N'étant
pas femmes à vous plaindre d'une pudeur
blessée.)*
Lord Byron

Gravure d'A. von Bayros.

*Mais tu trembles sous ma caresse,
Tu te serres, nue, contre moi,
Nue et frissonnante tandis que ta voix
Rauque un peu, répond à l'amoureuse averse...*
Francis Carco

Tableau de Matteo Picasso; 1885.

Il s'agit des femmes viriles, ou femmes métatropiques comme les appelle Kronfeld. À bien considérer, ce sont après tout des cas de masculinisme, c'est-à-dire des expressions de la bisexualité, pour lesquelles au je (ou sexe) physique féminin correspond un je (sexe) psychique masculin : Krafft-Ebing donne précisément au sadisme féminin ce sens d'inversion sexuelle (inversion = Männlichkeit viraginitäs).

On peut répéter, pour ce phénomène, ce que Lombroso et Ferrero ont observé à propos des femmes d'esprit pour lesquelles il se produirait un croisement des hérédités paternelles et maternelles. Donc, si certaines femmes montrent ce caractère sadique qui est proprement masculin, c'est qu'elles auraient hérité de l'hérédité paternelle. Chez la femme, *le sadisme trouverait, dans l'intimité, les moyens de s'exercer sur des hommes — pourtant virils — qui assumeraient donc, par le croisement mentionné plus haut et par la manifestation, même temporaire, de leur masochisme latent (caractère féminin ou maternel), la forme particulière de servilité sexuelle, qui est féminine.*

Ferdinando De Napoli

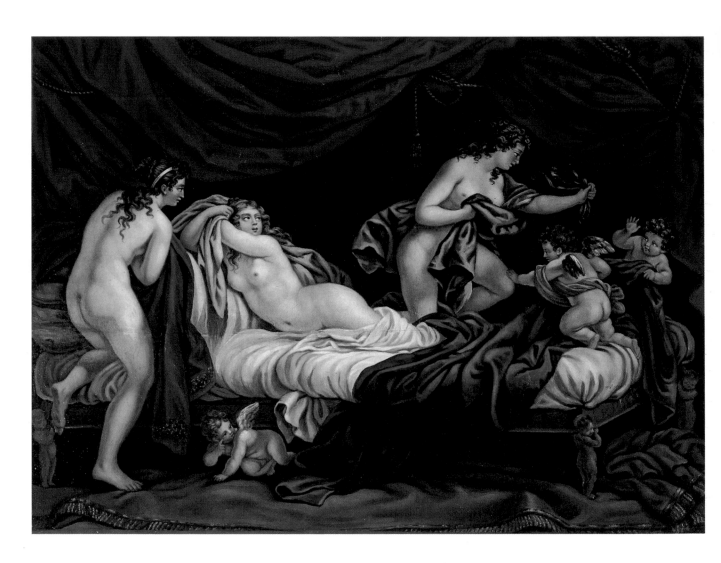

Dessins au crayon; anonyme; début du XXᵉ siècle.

À propos de ces fétichistes trichophiles, comme on appelle ceux qui ont la passion des cheveux, on peut observer qu'il n'existe peut-être aucun homme qui n'ait pas souffert d'une forme atténuée de ce petit fétichisme qui consiste à désirer ou à accepter comme souvenir les boucles et les mèches de cheveux de l'être aimé. Dans ce domaine, il existe de véritables collectionneurs, plutôt que de vrais fétichistes érotomanes.

Ferdinando De Napoli

Cadeaux.

Si vous portez dans un médaillon une petite boucle de poils blonds coupée au cul de votre gougnotte, dites plutôt que ce sont des cheveux.
Pierre Louÿs

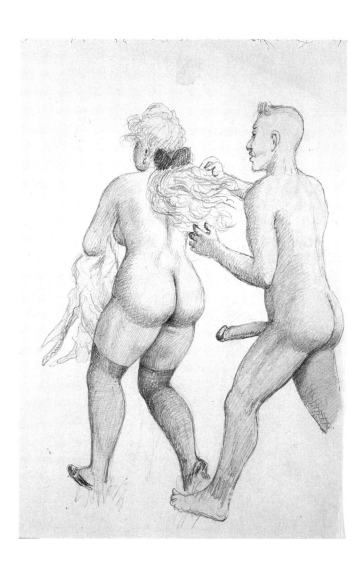

Carte postale allemande; début du XXᵉ siècle.

La « Vierge de Nuremberg », qui est peut-être l'instrument de torture le plus tristement célèbre de tous les temps, a reçu ce nom parce qu'elle est surmontée d'une tête de jeune fille impassible, destinée à symboliser l'idée de la tendresse et de la vertu féminines, associée aux pratiques les plus atroces.

Les exécutions capitales ont toujours eu un charme horrible pour de nombreuses personnes qui se pressaient pour y assister comme à un spectacle rare. Les *Mémoires* d'H. de Viel-Castel nous montrent, à ce propos, une des bizarreries de la grande actrice du siècle dernier :

Quant à Rachel, elle se montrait parfois retenue et glaciale, puis dans d'autres instants folle de lubricité, mais elle payait par de longues prostrations ces excitations nerveuses.
Ce qui pourra faire comprendre leur intensité, ce sont les deux faits suivants :
Une nuit, elle dit à Léopold Lehon :
« Je voudrais être baisée sur le corps d'un homme qu'on viendrait de guillotiner »…

Frontispice lithographique en couleurs, signé G. Smit; tiré du recueil *Le Fouet au couvent*; début du XXe siècle.

Au début de *Juliette ou les prospérités du vice*, c'est au couvent de Panthemont (à Paris) que l'héroïne de Sade fait ses premiers pas sur la route, semée de roses noires, qui la conduira au faîte de la luxure et de la fortune.

« Arrivées dans l'église, quel est mon étonnement de voir la supérieure ouvrir un tombeau et pénétrer dans l'asile des morts ! Mes compagnes, au fait, me suivent en silence; je témoigne un peu de frayeur, Volmar me rassure; Delbène rabaisse la pierre. Nous voilà dans les souterrains destinés à servir de sépulture à toutes les femmes qui mouraient dans le couvent. […].

Quelque avancée que je fusse dans la carrière de la lubricité, j'avoue que ce début m'interdit.
— Ô ciel ! dis-je tout émue, qu'allons-nous donc faire dans ces souterrains ?
— *Des crimes*, me dit Mme Delbène; nous allons nous en souiller à tes yeux, nous allons t'apprendre à nous imiter… Redouterais-tu quelques faiblesses ? »

Photographie française; fin du XIXᵉ siècle.

*Le sentier du véritable paradis passe toujours
par la volupté du véritable enfer.*
Friedrich Nietzsche

La colère. Gravure d'A. Willette, 1906.

*N'oublie pas le fouet quand tu vas voir ta
femme.*
Friedrich Nietzsche

Dessin au crayon; anonyme; début du XXᵉ siècle.

Et la femme, comme tant d'autres femelles, doit par nécessité assumer et apprécier son attitude passive, soumise, masochiste par la volupté que lui procure la douleur que son mâle lui inflige. Elle est physiologiquement masochiste, comme la femelle de la cantharide ou de l'hamadryade, comme les femelles des félins, et la chatte en particulier, qui miaule, qui mord, qui griffe, qui se révolte contre le mâle qui lui lacère le vagin par les aiguillons de son pénis. Mais c'est seulement ainsi que la chatte jouit, et après la rébellion et l'expression de la plus atroce souffrance, elle revient rapidement aux jeux habituels de l'amour qui, par la douleur, lui est sans doute encore plus doux. C'est ainsi pour beaucoup de femmes, et même pour la femme, en général masochiste, qui pleure facilement pour les douleurs, petites ou grandes, que lui inflige son partenaire par pur plaisir sadique, ou quand elle se fait toute petite sous lui et qu'elle veut sentir le mâle, si possible un mâle qui l'étreigne puissamment, la laissant endolorie.
Ferdinando De Napoli

À ces mots, elle place Rosalba sur un lit, puis ordonne à la plus jeune de préparer pour sa mère, tour à tour, les vits de nos quatre valets. La pauvre enfant, menacée par nous, était obligée de branler… de sucer les engins qui devaient se plonger dans sa mère.
Sade

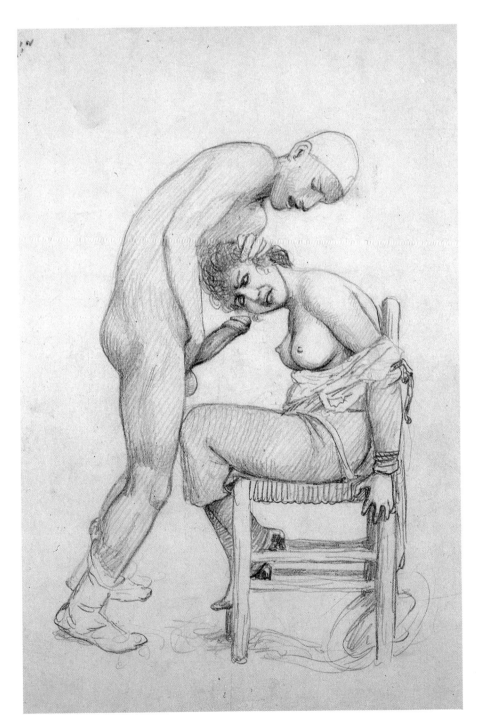

Gravure française, à la pointe sèche; anonyme; début du XXᵉ siècle.

Je travaille la terre, rarement mais avec force, / Non pas souvent et mal, comme font beaucoup; / Et il vaut mieux qu'ils soient gros et courts / Les manches qui s'enfoncent dans les pioches; / Longs et minces, ils plient trop facilement, / Et on perd l'année à les redresser : / Mais si le bâton remplit le poing comme je le dis, / Il se manie mieux, et se tient bien plus droit.
Luigi Tansillo

Photographie française réalisée dans une maison de tolérance; vers 1920.

Sadisme et masochisme ne manquent pas dans l'histoire, que ce soit la petite ou la grande. Le graveur a laissé libre cours à son imagination pour montrer un tyran libidineux, risible en caricature du sadisme. La fessée est un exercice beaucoup plus répandu, et de nombreuses jeunes filles sages se sont laissées aller à quelque bêtise pour le seul plaisir de tendre leurs sensibles et jeunes fesses aux cinq justi- ciers fermes et caleux. Ici, la mise en scène du photographe révèle des chairs un peu fatiguées, qui témoignent de la misère qui pesait sur les maisons comme celle-là.

Grand dieu, le joli cul ! Quel cul ! Quel cul
[charmant !
Qu'il offre de plaisir au plus fidèle amant !
Le Courrier extraordinaire des fouteurs

Gravure d'A. von Bayros.

They laid her flat on a goosedown pillow,
And scourged her arse with twigs of willow,
Her bottom so white grew pink, then red,
Then bloody, then raw, and her spirit fled.
(Ils l'ont couchée à plat sur un oreiller de
plumes, / Et ont fouetté son cul avec des brins
de saule, / Son derrière si blanc devint rose, puis
rouge, / Puis sanglant, puis à vif, et elle
s'évanouit.)
Cythera's Hymnal; 1870

Lithographie en couleurs tirée du catalogue *Kinder Peitschen*, imprimé à Nuremberg par F. Scharrer.

La nature fait naître la douleur pour honorer et servir la volupté.
Montaigne

Il n'y a pas de plaisir et de sensations agréables qui ne soient précédés de sensations douloureuses.
Cardano

De nombreux livres, naïfs ou sérieux, ont été écrits pour démontrer que la douleur est utile; et on a répété de multiples façons qu'il n'y a pas de plaisir sans la douleur.

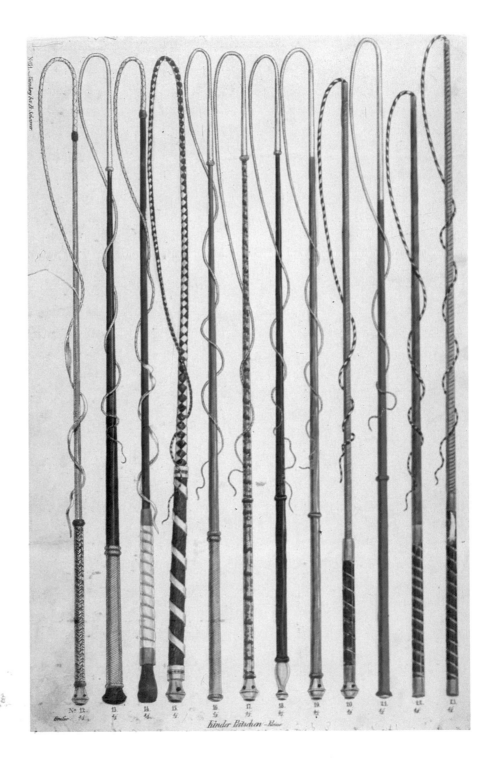

LA
BIBLIOGRAPHIE
JAUNE
par
L'APÔTRE

À
L'OCUPOLIS
1880.

Ouvrages consultés

L'Amour et l'Esprit Gaulois, à travers l'histoire du XVe au XXe siècle, préface de Edmond Haraucourt, 4 tomes, Paris, Dupuis, 1928.

Antologia Palatina, a cura di Annunziato Presta, con introduzione di Gennaro Perrotta, Roma, Casini, 1957.

ARESSY, LUCIEN *Chryséis danseuse étrusque*. Poème en prose illustré de lithographies originales en couleurs par André Provôt, aux dépens de quelques bibliophiles, s.n.t.

ARETINO, PIETRO *Sonnets luxurieux de Pietro Aretino dit l'Arétin* avec accompagnement de gravures au burin d'après la description des gravures de Giulio Pippi de Giannuzzi dit Jules Romain, aux dépens de quelques amateurs, s.l., 1948.

BAFFO, GIORGIO *Le poesie di G.B. patrizio veneto*, Catania, Tirelli-Guaitolini, 1926.

BARBIER, M. *Dictionnaire des ouvrages anonymes et pseudonymes*, composés, traduits ou publiés en français et en latin, avec les noms des auteurs, traducteurs et éditeurs; accompagné de notes historiques et critiques, Paris, Barrois, 1823.

BAUDELAIRE, CHARLES *Œuvres*, Paris, Gallimard, 1934.

Bibliographie des ouvrages relatifs aux pèlerinages, aux miracles, au spiritisme et à la prestidigitation, imprimés en France et en Italie l'an du Jubilé 1875, Turin, Bona, 1876.

Bibliographie des ouvrages relatifs à l'amour, aux femmes, au mariage, et des livres facétieux, pantagruéliques, scatologiques, satyriques, etc., contenant les titres détaillés de ces ouvrages, les noms des auteurs, un aperçu de leur sujet, leur valeur et leur prix dans les ventes, etc., Turin-Londres, Gay-Quaritch, 1871.

La Bibliographie Jaune. Précédée d'une dédicace à tous aulcuns qui ne sont pas jaunes, d'un prologue d'Alcofribas et d'une étude historique et littéraire sur le jaune… conjugal, depuis sa découverte jusqu'à nos jours. Par l'Apôtre Bibliographe, Eocupolis-Paris, 1880.

Bilder Lexikon. Kulturgeschichte. Ein nachschlagewerk für die Begriffe und Erscheinungen auf dem Gebiete der Kulturgeschichte, Sittengeschichte, Folklore, Ethnographie, des Kult- und Mysterienwesens, Gesellschaftslebens, der Chronique scandaleuse, für Zeit-Dokumente und Biographien ein Sammelwerk Sittengeschichtlicher Bilddokumente aller Volker und Zeiten, Hamburg, Verlag für Kulturforschung, 1961.

BUSSY-RABUTIN *Histoire amoureuse des Gaules.* Suivi d'extraits des mémoires de B.-R., textes choisis et présentés par Francis Cleirens, Paris, Livre club du Libraire, 1961.

Le Cabinet Satyrique. Ou vers piquants et gaillards de ces temps tiré des secrets cabinets de sieurs Sigognes, Regnier, Motin, Berthelot, Maynard et autres des plus signalez poètes du dix-septième siècle, Gand-Paris, Duquesne-Claudin, 1859.

CAJETANUS, AMATUS *Index librorum prohibitorum* sanctissimi domini nostri Benedicti XIV, Romae, Typographiae Reverendae Camerae Apostolicae, 1764.

CALI, CARMELO *Studi letterari*, Torino, Loescher, 1898.

Canto sopra le corregge, in AA.VV., *Raccolta di Poesie Toscane*, Londra, 1786.

CARCO, FRANCIS *La Bohème et mon cœur*. Premiers vers, chansons aigres-douces, petits airs – vers retrouvés, petite suite sentimentale à l'amitié, préface de Robert Sabatier, Paris, Michel, 1951.

CASANOVA, GIACOMO *Storia della mia vita*, edizione integrale a cura di Piero Chiara, Milano, Mondadori, 1965.

CAUFEYNON *La follia erotica*. Erotomania – satiriasi – ninfomania – priapismo, prefazione di Pietro Fabiani, Napoli, Società editrice partenopea, 1900.

CHIARINI, G. – LODI, L. – NENCIONI, E. – PANZACCHI, E. *Alla ricerca della verecondia*, prefazione di Emilio Bodrero, Napoli, Perrella, 1916.

Cicalata sopra la coda. In forma di lettera indirizzata alla Signora N.N. e di Rami allusivi fregiata, Nel campo Cauditano, 1765.

COLLÉ *Chansons Badines* de C., nouvelle édition, revue et corrigée, Utrecht, Plecht, s.d.

CORRADO, VINCENZO *Raccolta di poesie e baccanali per Commensalli e le varie imbandigioni della mensa secondo i mesi dell'anno*, Napoli, Stamperia del Corriere, 1811.

CURNONSKY – SAINT-GEORGES, ANDRÉ *La Table et l'amour nouveau*. Traité des excitants modernes, Paris, La Clé d'Or, 1950.

D'ANNUNZIO, GABRIELE *Opera omnia*. Edizione Nazionale, Verona, Istituto Nazionale per la Edizione di tutte le opere di Gabriele D'Annunzio, 1927-1936.

DE GRECOURT *Œuvres Badines* de l'Abbé D.G., nouvelle édition entièrement refondue ornée d'un frontispice gravé à l'eau-forte par Fél. R..., Bruxelles, Gay-Doucé, 1881.

DELVAU, ALFRED *Dictionnaire érotique moderne par un professeur de langue verte*, Neuchâtel, Imprimerie de la Société, 1874.

DE NAPOLI, FERDINANDO *Sesso e amore nella vita dell'uomo e degli altri animali*. Sessuologia – sociologia – fisiopatologia – igiene – pedagogia – psicologia – etica e legislazione sessuale, con prefazione di Augusto Murri, Torino, Bocca, 1927.

DEUTSCH, ALBERT *Abitudini sessuali dell'uomo*, a cura di A.D., Milano, Garzanti, 1949.

Dictionnaire de Sexologie. Sexologie générale – sexualité – contre-sexualité – érotisme – érotologie – bibliographie universelle, Paris, Pauvert, 1962.

DI GIACOMO, SALVATORE *La prostituzione in Napoli nei secoli XV-XVI-XVII*. Documenti inediti, Napoli, Marghieri, 1899.

ENGLISH, PAUL *L'Eros nella letteratura* (egiziana, indiana, greca, latina, araba, persiana, tedesca, francese, italiana, inglese), Milano, Sugar, 1976.

EPTON, NINA *Eros e costume in Inghilterra dal Medio Evo ad oggi*, Milano, Lerici, 1966.

Erotici, tradotti da Luigi Siciliani, Milano, Quintieri, 1921.

Étude sur la flagellation. À travers le monde aux points de vue historique, médical, religieux, domestique et conjugal, avec un exposé documentaire de la flagellation dans les écoles anglaises et les prisons militaires, Paris, Carrington, 1901.

FABIANI, PIETRO *Pervertimenti sessuali*. Storia e classifica – necrofilia o vampirismo – sadismo – esibizionismo – feticismo – bestialità – masochismo, Napoli, Società editrice partenopea, s.d.

FLEURET, FERNAND *Les amoureux passetemps*. Ou choix des plus gentilles et gaillardes inventions des XVIe et XVIIe siècles depuis Ronsard jusqu'à Théophile. Colligées sur les manuscrits et les éditions orginales, Paris, Montaigne, 1925.

FOWELL, NICE *La masturbazione nella donna – cause e forme – casistica e rimedi*. Firenze, Il Pensiero, 1914.

FRAXI PISANUS (ASHBEE) *Index librorum prohibitorum*. Being Notes Bio-biblio-iconographical and Critical on Curious and Uncommon Books, London, privately printed, 1877.

FRAXI PISANUS (ASHBEE) *Centuria librorum absconditorum*. Being Notes Bio-biblio-iconographical and critical on Curious and Uncommon Books, London, privately printed, 1879.

FRAXI PISANUS (ASHBEE) *Catena librorum tacendorum*. Being notes Bio-biblio-iconographical and critical on Curious and Uncommon Books, London, privately printed, 1885.

FUCHS, EDUARD *Geschichte der erotischen Kunst*. Erweiterung und Neubearbeitung des Wertes des erotischen Element in der Karikatur mit Einschluss der ernsten Kunst, München, Langen, 1908.

FUCHS, EDUARD *Geschichte der erotischen Kunst*. Das individuelle Problem, München, Langen, 1923.

FUCHS, EDUARD – KIND, ALFRED *Die Weiberherssschaft in der Geschichte der Menschheit*, München, Langen, 1913.

GAAI, MARGIT *Songes galants.* 12 Dessins par M.G., Paris, édit. privée, 1920.

GALLI DE PARATESI, NORA *Le brutte parole. Semantica dell'eufemismo*, Milano, Mondadori, 1969.

GERBI, ANTONELLO *Il peccato di Adamo ed Eva. Storia della ipotesi di Beverland*, Milano, La Cultura, 1933.

GIRAUDEAU, FERNAND *Les vices du jour et les vertus d'autrefois* par F.G., Paris, Perrin, 1891.

GUERRAZZI, FRANCESCO DOMENICC *Amelia Galani.* Considerazioni sull'educazione delle donne italiane di F.D.G. Proemio del Pasquale Paoli, racconto corso del secolo XVIII dello stesso autore, Genova-Firenze, a spese dell'editore, 1859.

HERMANT, ABEL *Les confidences d'une aïeule*, ornées de trente-trois bois dessinés et gravés par Siméon, Paris, Les arts et le livre, 1927.

HIRSCHFELD, MAGNUS *Geschlechtskunde auf Grund dreissigjähriger Forschung und Erfahrung bearbeitet*, Stuttgart, Püttmann, 1926.

HOYER, ERIK *Das lüsterne Weib. Sexualpsychologie der begehrenden unbefriedigten und schamlosen Frau*, Wien-Leipzig, Verlag für Kulturforschung, 1929.

Index Librorum prohibitorum, SS. mi D.N. PII PP. XII iussu editus, Romae, Typis Polyglottis Vaticanis, Anno 1940.

INZANI, GIOVANNI – LUSSANA, FILIPPO *Sui nervi del gusto.* Osservazioni ed esperienze dei dottori G.I. et F.L., Milano, Società per la pubblicazione degli Annali Universali, 1862.

KAHAN, FRITZ – BALZLI, JEAN *Notre vie sexuelle – ses problèmes – ses solutions. Manuel pratique pour tout le monde*, Zurich, Müller, 1937.

KAHN, GUSTAVE *Das Weib in der Karikatur Frankreichs*, Stuttgart, Verlag für Kulturforschung, 1907.

LAINOPTS, VIEST' *Essais bibliographiques sur deux ouvrages intitulés : « De l'utilité de la flagellation » par J.H. Meibomius et « Traité du fouet » de F.A. Doppet*, Paris-London, Vaton-Hooggs, 1875.

LA RUE, JEAN *Dictionnaire d'Argot et des principales locutions populaires* par J.L.R., précédé d'une *Histoire de l'Argot* par Clément Casciani; nouvelle édition, Paris, Flammarion (1924).

LAZZARELLI DA GUBBIO, GIOVANNI FRANCESCO *La Cicceide*, in Cosmopoli, s.d.

LE FAULT, GUILLAUME *Petit traité contre l'abominable vice de paillardise et adultère qui est aujourd'hui en coutume, et comme chose indifférente de s'en abstenir ou non entre les mondains qui ne sentent que la terre*, La Haye, Arnoult, 1868.

LEWINSOHN, RICHARD *Storia dei costumi sessuali*, Milano, Sugar, 1959.

Il libro del perché colla Pastorella del Cav. Marino e la novella dell'Ang. Gabriello, In Pelusio (Matera ?), 1757.

LISE, GIORGIO *L'incisione erotica del Rinascimento*, Milano, Bestetti, 1975.

LOUYS, PIERRE *Les Chansons de Bilitis.* avec 88 bois originaux de Jean Lébédeff. Paris, Fayard, 1894.

LOUYS, PIERRE *Manuel de civilité pour les petites filles, à l'usage des maisons d'éducation*, Londres, 1948.

MAJOR, HEINRICH *Geh'mit, Schatzerl!*, 30 original Holzschnitte von H.M.

MANTEGAZZA, PAOLO *Fisiologia del dolore*, Milano, Barion, 1926.

MANTEGAZZA, PAOLO *Gli amori degli uomini*, Firenze, Bemporad, 1930.

MANTEGAZZA, PAOLO *Fisiologia del piacere*, Milano, Bietti, 1931.

MARZIALE, MARCO VALERIO *Epigrammi erotici*, tradotti da P. Magenta, nuovamente editi a cura di Gerolamo Lazzeri, con una tavola, Milano, Modernissima, 1925.

MAUCLAIR, CAMILLE *Études de Filles.* 40 eaux-fortes originales et une couverture du peintre-graveur Lobel-Riche, Paris, Michaud, 1910.

MEIBOMIUS, J.H. *De l'utilité de la flagellation dans la médecine et dans les plaisirs du mariage, et des fonctions des lombes et des reins, ouvrage singulier*, Londres, 1801.

Mémoires d'une chanteuse, préface de Helpey, Paris, 1933.

MUSIL, ROBERT *Il giovane Törless*, Milano, Rizzoli, 1974.

NERCIAT, ANDRÉA DE *Contes nouveaux* par A.d.N., précédés d'une notice bibliographique, ornés d'un portrait de l'auteur, Liège, 1867.

OTTONELLI, DOMENICO *Alcuni buoni avvisi e casi di coscienza* intorno alla pericolosa conversazione dà proporsi à chi conversa poco modestamente, confermati con Sacre Scritture, con sentenze di Santi Padri e di altri Scrittori e con alcuni casi antichi e molto moderni, Firenze, Franceschini-Logi, 1646.

PASQUINI *La Culeide* del Sig. Abate Pasquini Sanese, in AA. VV., *Raccolta di Poesie Toscane*, Londra, 1786.

PIA, PASCAL *Les Livres de l'enfer*. Bibliographie critique des ouvrages érotiques dans leurs différentes éditions, Paris, Coulet-Faure, 1978.

I poeti della Antologia Palatina, tradotti da Ettore Romagnoli, Bologna, Zanichelli, 1940.

REITZENSTEIN, FERDINAND VON *La donna presso i popoli selvaggi*, unica traduzione autorizzata, Milano, Universum, 1933.

ROMPINI, OMERO *La cucina dell'amore*. Manuale culinario afrodisiaco per gli adulti dei due sessi. Rigenerazione fisica e giovinezza ricuperate per l'impiego appropriato dei cibi, condimenti, aromi, salse, ecc., Catania, Tirelli-Guaitolini, 1926.

ROUSSEAU, JEAN-BAPTISTE *Toutes les épigrammes* de J.-B.R., publiées en partie pour la première fois, Londres, Krick, 1879.

SADE, DONATIEN marquis de *Justine ou les malheurs de la vertu*, préface de Georges Bataille, Paris, Le Soleil Noir, 1950.

SCHIDROWITZ, LEO *Sittengeschichte des Intimen*. Bett. Korsett. Hemd. Hose. Bad. Abtritt. Die Geschichte und Entwicklung der intimen Gebrauchsgegenstände, Wien-Leipzig, Verlag für Kulturforschung (1929 ?).

SCHIDROWITZ, LEO *Sittengeschichte des Lasters die Kulturepochen und ihre Leidenschaften*, Wien-Leipzig, Verlag für Kulturforschung, 1927.

SCHIDROWITZ, LEO *Sittengeschichte des Theaters*. *Eine Darstellung des Theaters, seiner Entwicklung und Stellung in zwei Jahrtausenden*, Wien-Leipzig, Verlag für Kulturforschung (1928 ?).

SCHIDROWITZ, LEO *Sittengeschichte des Intimsten intime Toilette, Mode und Kosmetik im Dienst der Erotik Mittel und Wege zur Steigerung wie zur Herabstimmung des Geschlechtstriebes die Geschichte der Schutzmassnahmen beim Sexualverkehr*, Wien-Leipzig, Verlag für Kulturforschung, 1929.

Séduction Jeunes Amours, avec des gravures sur cuivre par un artiste célèbre, Paris, aux dépens d'un amateur, 1939.

Sonetti Burleschi e realistici dei primi due secoli, a cura di Aldo Francesco Massera, nuova edizione riveduta e aggiornata da Luigi Russo, Bari, Laterza, 1940.

TAGEREAU, VINCENT *Discours sur l'impuissance de l'homme et de la femme* par V.T., réimprimé sur la deuxième édition, revue et corrigée par l'auteur, Paris, Liseux, 1887.

TANSILLO, LUIGI *Il vendemmiatore*, con introduzione di Gino Raya, Catania, Tirelli-Guaitolini, 1928.

TANSILLO, LUIGI – FRANCO, NICCOLÒ *Il vendemmiatore*, poemetto in ottava rima di L.T., e *La Priapea*, sonetti lussuriosi-satirici di N.F., Pe-King [Parigi], Molini, 1790.

TARNOWSKY *L'Instinct sexuel et ses manifestations morbides au double point de vue de la jurisprudence et de la psychiatrie*, traduction française suivie d'une bibliographie des ouvrages traitant de l'inversion sexuelle, préface par le professeur Lacassagne, Paris, Carrington, 1904.

TILLIER, L. *L'Instinct sexuel chez l'homme et chez les animaux* par L.T., précédé d'une préface par M.J.L. de Lanessan, Paris, Doin, 1889.

UZANNE, OCTAVE *La Chronique scandaleuse*, publiée par O.U. avec préface, notes et index, Paris, Quantin, 1879.

VENETTE, M.N. *La Génération de l'homme*. Ou tableau de l'amour conjugal considéré dans l'état du mariage par M.N.V., nouvelle édition augmentée d'observations curieuses et historiques et de remarques utiles et importantes pour l'humanité, s.i., 1776.

VERLAINE, PAUL *Œuvres libres*, Bruxelles, aux dépens d'un groupe de bibliophiles, 1948.

VERLAINE, PAUL *Œuvres poétiques complètes*, établi et annoté par Y.G. Le Dantec, édition révisée complétée et présentée par Jacques Borel, Paris, Gallimard, 1962.

VERLAINE, PAUL *Hombres* di P.V., Napoli, Editrice Italiana, s.d.

VERRI, PIETRO DA « Il Caffè ». Introduzione e note di Luigi Collino, Torino, Unione tipografica editrice torinese, 1930.

La Vie parisienne, années 1913, 1924, 1925.

VIEL-CASTEL, HORACE DE *Mémoires du Comte Horace de Viel-Castel sur le Règne de Napoléon III (1851-1864)*, publiés d'après le manuscrit original et ornés d'un portrait de l'auteur, avec une préface par L. Léouzon Le Duc, Paris, 1883.

Index des illustrateurs

Vocabula Amatoria. A French-English Glossary of Words, Phrases and Allusions Occurring in the Works of Rabelais, Voltaire, Molière, Rousseau, Béranger, Zola, and Others. With English Equivalents and Synonyms, London, privately printed, 1896.

WITKOWSKI, G.J. *Les Accouchements à la cour* par G.J.W. Ouvrage comprenant: Les six couches de Marie de Médicis par Loyse Bourgeois, et la naissance des enfants de France par Deneux, Paris, Steinheil (1890 ?).

WITKOWSKI, G.J. *Anecdotes et curiosités historiques sur les accouchements* par G.J.W., Paris, Steinheil, 1892.

WITKOWSKI, G.J. *Anecdotes historiques et religieuses sur les seins et l'allaitement*, comprenant l'histoire du décolletage et du corset, recueillies par le docteur G.J.W., Paris, Maloine, 1898.

WITKOWSKI, G.J. *Curiosités médicales, littéraires et artistiques sur les seins et l'allaitement*, recueillies par le docteur G.J.W., Paris, Maloine, 1898.

WITKOWSKI, G.J. *Les Seins dans l'Histoire.* Singularités recueillies par le docteur G.J.W., Paris, Maloine, 1903.

WITKOWSKI, G.J. *Les Seins à l'église*, par le docteur G.J.W., Paris, Maloine, 1907.

Dépôt légal: octobre 1988